DREAMBOOKS

DREAMBOOKS

龍帝劍傳

용제
검전

윤민호 신무협 장편소설

ORIENTAL FANTASY STORY & ADVENTURE

dream
books
드림북스

용제검전 18 (완결)

초판 1쇄 인쇄 2018년 8월 24일
초판 1쇄 발행 2018년 8월 31일

지은이 윤민호
발행인 오영배
기획 박성인
책임편집 황지희
일러스트 이지선
표지 · 본문 디자인 권지연
제작 조하늬

펴낸곳 (주)삼양출판사 · 드림북스
주소 서울시 강북구 도봉로 173
대표 전화 02-980-2112 **팩스** 02-983-0660
편집부 전화 02-980-2116 **팩스** 02-983-8201
블로그 blog.naver.com/dreambookss
출판등록 1999년 3월 11일 제9-00046호

ⓒ 윤민호, 2018

ISBN 979-11-283-9363-1 (04810) / 979-11-313-0566-9 (세트)

드림북스는 (주)삼양출판사의 판타지 · 무협 문학 브랜드입니다.

목차

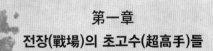

第一章
전장(戰場)의 초고수(超高手)들

천부의 용신을 연상시키는 광해의 용신기가 광활한 땅을 난폭하게 두드려 부수자 엄청난 충격력이 평야 전체를 사납게 뒤흔들어 놓았다.

꽈드드드득, 꽈드드득, 꽈드드드드득— 쿠르르르르릉, 쿠르르르르르릉—!

헤아릴 수조차 없는 수많은 적을 단번에 휩쓸어 버린 광해의 용신기는 쾌속하게 지면을 뚫고 그 밑으로 사라졌다.

콰콰콰콰, 콰콰콰콰콰……!

둥근 형태로 움푹 꺼지며 무참히 붕괴하는 땅.

그렇게 검무영이 두 발로 딛고 선 자리 앞쪽의 지면엔 수천 명을 매몰하고도 남을 정도로 커다랗고 시커먼 지하 구멍이 뚫렸다. 아니, 멀리서 보더라도 눈동자에 다 담기가 힘들 만큼 거대한 동혈이라 표현함이 옳았다.

온갖 잔해가 허공으로 어지러이 비산하며 방대한 먼지구름이 일대 공간을 가득 메운 가운데.

스윽.

천룡신검을 아래로 기울인 검무영이 좌수를 살짝 내젓자 자욱하던 홍진이 일시에 하늘 높이 솟구쳐 흩어졌다.

비로소 선명한 풍광을 되찾은 일대 공간엔 마치 텅 빈 방처럼 무거운 정적이 흘렀다.

녹룡대를 비롯한 세 개의 검대와 기룡검단, 참룡검단, 월룡검단 등 다섯 개의 검단이 가공스러운 위력을 과시한 광해의 용신기 앞에 모조리 전사했다. 그 여파로 오천 명을 웃돌던 인원이 고작 칠백여 명으로 줄고 말았다.

참으로 허망한 죽음이었다.

기껏 목적지까지 와서 주된 표적인 검무영과 마주하자마자 그 쾌속한 검초에 의해 반응을 보일 틈도 없이 연거푸 미세한 가루로 화해 버렸으니까.

용심마단이 선사한 어두운 힘을 이끌어 내는 것은 고사하고 방어의 칼질 한번 제대로 구사하지 못한 채 일제히 저승의 문으로 향하고 말았다. 그것도 심지어 창졸간에…….

용신부 무리는 마치 전신이 굳어 버린 것처럼 미동이 없었다.

상대의 경이로운 무력 앞에 몸과 마음을 제압당한 것이리라.

칠백여 명의 검수 무리는 현재 자신들 수장인 용문검황 천무외를 대할 때와 비슷한 두려움이 흉중에 깃드는 걸 느꼈다.

정말이지 너무나 비현실적인 힘.

검무영이 구사한 광해의 용신기로 인해 모든 상식이 파괴되었고 나아가 뇌리의 사고마저 마비되는 기분이다.

예전 천마신교, 혈교 총단을 차례로 들이쳤을 때 천무외가 펼쳐 보였던 광해의 용신기를 상회하는 괴력이었다.

보다시피 광활한 평야 지면에 뚫린 동혈 같은 구멍의 크기가 그것을 증명하고 있잖은가.

광해의 용신기가 발출한 막대한 힘의 범위를 아슬아슬하게 비켜 잔존한 인원은 회룡대(灰龍隊)에 속한 정예 검수들.

회룡대는 기실 천무외가 거느린 여러 검대들 중 상위에 위치한 집단으로 그 구성원의 무위 또한 남달랐다. 그렇지만 검무영의 신위를 목도한 순간부터 상위 검대란 위명에 걸맞지 않게 전원 안색이 새파랗게 질렸다.

같은 시각.

청풍검문 일동의 반응도 용신부 무리와 별 차이가 없었다.

멀찍이 선 하연설은 방금 검무영이 펼쳐 보인 미증유의 검력 앞에 경악하며 멍한 눈빛만 던질 따름이었고 단선후, 마봉, 양욱, 선우경리를 포함한 다른 문도들 또한 놀란 심경을 대변하듯 눈동자 위로 투명한 파문을 자아냈다.

홀연 누군가의 나지막한 목소리가 들리고.

"이길 수 있어. 아니…… 우리가 무조건 이긴다. 이길 수밖에 없는 싸움이야."

그 음성의 주인은 바로 평제자 수석인 표필이었다.

옆에 선 윤결을 비롯해 평제자 전원이 고개를 끄덕이며 동감한 찰나 하연설이 정신을 퍼뜩 가다듬으며 입을 열었다.

"저기 멀리에 오연히 서 있는 자가 아마도 용문검황인 모양이야."

그러자 다들 내공을 운용해 안력을 한껏 돋우곤 전방에 자리한 검무영의 어깨 너머로 보이는 공간을 주시했다.

예의 거대한 구멍을 사이에 두고 검무영과 정면으로 마주하고 있는 아주 작은 그림자 하나.

거리가 너무 멀어 외형을 제대로 파악하기 힘들었지만 가까스로 생존한 회룡대가 이내 날렵한 운신을 펼쳐 그 인물 곁에 모여 서는 것을 보니 예의 짐작이 정확한 듯했다.

하연설은 며칠 전 검무영과 나누었던 대화가 머릿속에 문득 떠올랐다.

—행여 낭군님의 발목을 붙잡는 일은 없을 거예요. 제 몸은 알아서 지킬 테니…… 변절자를 처단하는 데 모든 힘을 기울이시길 바라요.

—내가 모든 힘을 기울이면 사천 지역을 비롯한 이 대륙 전체가 단번에 먼지로 화해 사라질 텐데?

—후…… 하여간 긴장감이라곤 눈곱만큼도 찾아볼 수가 없군요.

—미리 긴장할 필요가 있나? 과연 내가 긴장해야 할 상대인지 아닌지 나중에 겨뤄 보면 알겠지. 녹록한 상대는 아니지만 날 믿어 봐.

—당연하죠! 세상에 하나뿐인 제 낭군님인데.

—적을 압도적으로 눌러 버린다면 좋겠지만 괜히 섣부른 확언은 삼가는 게 마땅하겠지. 그러면 너희가 되레 부담감을 가지게 될 테니까.

—이길 거예요, 반드시.

—승리는 당연한 목표이고 내가 원하는 건 앞으로 수마인 무리가 두 번 다시 현세에 나타나지 않게

끔 만드는 거야.

　—인육을 주 먹잇감으로 삼는 마물…… 정말이지 끔찍해요. 그래도 한 가지 다행스러운 점은 수마대령의 역할을 대신하는 존재가 없다는 사실이죠.

　—천무외는 수마인 육성을 위해 지난 세월 동안 셀 수도 없이 무수한 사람을 납치해 왔어. 그 죄는 마땅히 이 칼로써 물을 거야. 명색이 이대 검룡제인데, 영감의 숭고한 노력이 물거품이 되는 꼴은 절대 못 보지.

　빌안간 옥용 위로 엷은 미소가 맺혀 드는데.

　'당신은 정말…… 우리가 존경심을 갖지 않을 수 없는 사내로군요.'

　그런 하연설의 암갈색 눈동자엔 이 전장의 분위기와 어울리지 않는 따스한 이채가 깃들었다.

　사랑과 믿음이 충만한 눈빛이다.

　먼 전방에 자리한 검무영도 그 마음을 느낀 건지 입가로 희미한 웃음기를 머금다가 신속히 지웠다. 그러더니 커다란 구멍 너머 반대편에 서 있는 한 인물을 향해 내력을 실은 전성을 터뜨렸다.

　『어때, 네가 기대한 이상인가?』

여태껏 잠자코 있던 인물이 비로소 서늘한 안광을 내뿜으며 반응을 보이고.

『훗, 과거 수마대령을 상대했을 때보다…… 일신의 무위가 상승한 듯하구나.』

전성으로 화답하는 그의 정체는 청풍검문 일동의 예상대로 용문검황 천무외였다.

흰 건을 둘러 높이 튼 상투에 붓질을 한 듯 시원스러운 이목구비, 명치까지 드리운 긴 수염 등이 조화를 이룬 그의 외형은 유순함과 장엄함이 한데 어우러져 무척이나 신비로운 기도를 풍겼다.

후방의 하연설, 단선후, 마봉 등은 저도 모르게 신형을 흠칫했다.

'웃…… 대단해! 단지 전성만 들었을 뿐인데 이토록 강렬한 전율을 선사하다니…….'

다들 그렇게 속으로 경탄한 찰나.

『뭐하고 있어, 어서 불러 와. 아끼다가 똥 된다는 말도 모르나?』

검무영이 거듭 전성을 터뜨리자 천무외가 지척에 모여선 회룡대 무리를 향해 좌수를 가볍게 흔들었다.

직후.

슈슈슈슈슈, 슈슈슈슈슈슈……!

검수 칠백여 명은 누가 먼저라 할 것도 없이 체외로 흑색 연기를 사납게 퍼뜨리더니 흉측한 수마인의 모습으로 화했다.

"크흥."

"크르릉……!"

흡사 맹수의 그것처럼 사나운 소리를 입 밖으로 내뱉는 그들.

검무영은 천룡신검을 아래로 기울인 채 심드렁한 투의 전성을 발했다.

『용심마단을 복용한 잡것들 말고 그 뒤쪽에 숨겨 놓은 수마인 무리를 몽땅 불러오라니까.』

동시에 천무외가 머리를 살짝 끄덕이자 회룡대 검수 전원이 시뻘건 눈을 부라리더니 일제히 칼을 내그으며 찬섬의 용신기를 발출했다.

슈슈슈슈슈, 슈슈슈슈슈, 슈슈슈슈슈슈—!

온몸에 무수한 가시가 내돋친 용의 형상을 한 검기 하나하나가 거대한 구멍이 난 거리를 격해 맹렬히 뻗어 나가며 셀 수 없는 미세한 빛살로 나뉘었다.

검수들 공세가 눈 깜짝할 사이에 전면으로 육박했지만 정작 검무영은 아무런 동작도 보이지 않았다.

대신에.

화아아아아아아악!

그의 신형을 중심으로 용의 모습을 갖춘 빛살의 기류 수십 가닥이 폭발하듯 번져 나와 입을 한껏 벌렸고 무수히 쇄도하는 찬섬의 용신기를 모조리 흡수해 지워 버렸다.

스스스슷, 스스스스슷, 스스슷……

투명한 물결처럼 번지는 기파의 잔해.

평야는 언제 그랬냐는 듯이 고요함을 되찾았다.

회룡대의 검수 무리는 처음 접하는 그 놀라운 기예 앞에 충격을 금치 못하는 눈빛이었다.

"당황하기는."

짧게 중얼거린 검무영이 좌수를 내밀어 마치 보이지 않는 물건 잡듯 다섯 손가락을 동그랗게 움키자.

퍼퍼퍼퍽, 퍼퍼퍼퍽, 퍼퍼퍼퍼퍽, 퍼퍼퍽—!

육중한 음향과 더불어 검수 삼백여 명의 몸이 연쇄적으로 터져 나가며 자잘한 육편으로 화했다.

후두둑, 후두둑, 후두둑……

수많은 뼛조각이 사방으로 튀고 어마어마한 핏물이 땅을 적신다.

뒤이어 검무영이 좌수를 아래로 휘두르자 나머지 검수 무리가 강대한 무형지기에 이끌려 깊이를 알 수 없는 거대한 구멍 속으로 빠르게 추락했다.

"우욱!"

"크아악……!"

어둠의 공간 속에 마구 메아리치는 비명들.

그렇듯 동혈 같은 공간은 예의 검수 무리를 한 명도 남김 없이 집어삼켜 버렸다.

하나 그게 끝이 아닌데.

검무영이 천룡신검을 머리 위로 세워 들자 용 문양이 음각된 칼날로부터 광해의 용신기가 쾌속하게 솟구쳤다.

쿠아아아아아아아─!

사방의 대기를 진동시키는 굉음에 이어.

천룡신검이 종단의 기세로 떨어져 내리자 그 행로를 따라 허공을 유영하던 빛의 용이 거대한 구멍 속으로 돌진하며 웅혼한 소리를 연주했다.

우우우우─ 우우우우우─

광해의 용신기가 깊은 어둠의 공간 속으로 자취를 감춘 순간 귀청을 찢는 뇌성이 사위에 울려 퍼졌다.

우르르르르릉, 꽈아아아아앙!

허공으로 높이 치솟는 방대한 먼지구름.

"자, 조무래기 떼는 처리했고……."

검무영이 나지막한 음성을 흘리며 무형의 기풍을 발산하자 시야가 다시 깨끗하게 변했다.

그렇게 먼지구름이 일시에 소멸한 찰나 천무외가 안광을 깊게 가라앉히며 처음으로 격렬한 반응을 드러냈다.

『흥미롭군. 그것은 무어냐?』

방금 펼친 광해의 용신기에 대한 물음이 아니다.

앞서 회룡대가 발출한 찬섬의 용신기를 단번에 흡수해 버렸던 이름 모를 신비로운 기예의 실체를 묻고 있는 것이었다.

검무영이 전성으로 그 말을 되받고.

『안 가르쳐 줘.』

무미건조한 눈빛으로 좌수의 검지를 까딱거린다.

도발이었다.

명색이 용신부 수장답게 어서 정면으로 힘껏 덤벼 보라는.

하나 천무외는 쉽사리 응하지 않았다.

『후훗, 놈…… 어차피 힘엔 한계가 따르는 법!』

전성이 끝나기가 무섭게 그의 등 뒤쪽으로부터 어마어마한 흑운이 쇄도해 왔다.

쿠쿠쿠쿠쿠, 쿠쿠쿠쿠, 쿠쿠쿠쿠쿠—!

수를 헤아리기 힘든 엄청난 인원이 발을 굴리며 지축을 뒤흔드는 소리.

바로 수마인 무리였다.

"진즉 그럴 것이지."

혼잣말을 발한 검무영은 더 기다릴 것도 없이 용천혈로 기를 폭사하며 허공을 격해 전방으로 빠르게 나아갔다.

파아아아아아아아—

급속도로 거리를 압축하는 운신.

한 번의 호흡을 내뱉기도 전에 거대한 지하 구멍 위쪽을 가로질러 반대편 지면 위로 발을 내디딘 검무영이 상단전을 활짝 열었다.

쏴쏴쏴쏴, 쏴쏴쏴쏴쏴—!

동시에 가슴을 서늘케 만드는 파공음이 터지며 눈에 보이지 않는 무수한 검기가 전방 십오 장 남짓한 거리에 선 천무외를 노려 맹렬히 쏘아진다.

심검지도.

궁극의 뇌력으로 말미암아 살기 자체가 무형의 칼로 화해 발출되는 절대 영역의 공부.

그렇게 검무영의 심검지도가 상대 가까이에 도달한 순간 천무외도 질세라 상단전의 힘을 개방해 심검지도로 맞섰다.

퍼퍼퍼퍼퍼펑, 퍼퍼퍼퍼퍼펑……!

거의 신적인 권능에 가까운 검도 절학이 서로 강하게 충돌하며 폭성을 터뜨리는 가운데 예의 커다란 덩어리를 이룬 흑색 운무가 어느새 천무외의 지척에 이르렀다.

〈쿠아앙!〉

〈우억, 우어억!〉

〈크허어엉!〉

전성 비슷한 괴성을 내지르며 난폭한 기세를 한껏 드러내는 수마인들. 그 전체가 시커먼 기류에 휩싸인 터라 정확한 수를 파악하기 힘들었지만 어림잡아 과거 수마대령이 거느렸던 무리와 엇비슷하거나 그것을 웃도는 듯했다.

검무영이 우수의 천룡신검을 수평으로 뻗으며 중얼거리기를.

"참 듣기 싫은 소리로군."

직후 용 문양이 화려히 음각된 칼날 위로 찬란한 빛의 기류가 치솟는다.

슈슈슈슈, 슈슈슈슈슈…….

전신이 뾰족한 가시로 뒤덮인 듯한 용의 형상.

찬섬의 용신기였다.

쿠쿠쿠쿠쿠—!

천룡신검이 발출한 기운에 의해 주변 대기와 지면이 요란스레 진동하며 투명하게 일그러졌다.

수마인 무리의 비호를 받고 선 천무외가 문득 나지막한

소성을 흘리고는 두 눈 위로 이채를 뿜으며 입을 열었다.

"역시 대천용령지체의 소유자답구나."

현재 검무영이 발출한 찬섬의 용신기는 앞서 용신부 검수들이 구사했던 것과 격이 다른 막중한 힘이 실렸다.

일대 공간의 떨림은 차치하고 칼날을 따라 일렁이는 기류의 크기만 보더라도 쉬이 알 수 있는 사실인 것을.

눈앞에 선 상대가 결코 녹록한 인물이 아님을 본능적으로 느낀 걸까.

수마인 무리는 더 나아가지 않고 검무영과 대치한 채 흡사 맹수처럼 기이한 소리만 흘릴 따름이었다.

하나 겁을 먹어 그런 게 아니다.

연거푸 신위를 떨친 검무영에 대한 경각심과 더불어 자신들 심령의 주인 천무외의 최종 명령을 기다리는 것이었다.

호흡지간.

슥—

천무외가 좌수를 가볍게 흔들자 수마인 무리 중 일부가 반월의 진을 이루며 성난 진격을 시작했다.

투두두두두— 투두두두두두—!

돌진하는 인원은 고작 수십 명이었지만 지축을 흔드는 큰 소리는 마치 수백 마리가 넘는 황소 떼가 질주하는 듯한 느낌이었다.

검무영이 즉각 검극을 내지르자 가시 돋친 몸을 가진 용의 형상이 순식간에 수십 갈래로 나뉘어 미세한 검기로 화해 뻗어 나갔다.

쉬쉬쉬쉬쉬쉬쉭—!

공기를 가르는 파공음에 이어.

퍼퍼퍼퍼펑, 퍼퍼퍼퍼퍼펑!

묵직한 굉음이 터지며 기파의 잔해가 바람결에 흩날리듯 넓게 번졌고 상대를 노려 진격하던 수마인들 중 절반 가까이가 일제히 충격을 받곤 그 자리에 엎어졌다.

털퍼덕, 털퍼덕, 털퍼덕…….

땅과 부딪치며 어지러이 나뒹구는 흑색 거구들.

저마다 몸에 깊은 검상을 입은 채 탁한 핏물을 흘렸지만 공세에 휩쓸리지 않은 나머지 수마인 무리는 개의치 않고 빠르게 전진해 간극을 좁혀 들었다.

"쿠억!"

"크하악!"

검무영이 다시 한번 찬섬의 용신기를 발출하자 시끄러운 굉음이 사위를 떨쳐 울린다.

퍼퍼퍼퍼펑, 퍼퍼퍼퍼퍼펑!

일 장 거리까지 육박했던 수마인 무리는 방금 전의 인원과 마찬가지로 큰 충격을 받고 뒤로 세게 튕겨 날아갔다.

꽁, 꾸궁, 꽁, 꾸구궁……!

지면 위에 등판을 처박는 둔탁한 소리가 들린 순간 후방에 자리한 수마인들 중 일백 여 명이 새로이 가세했다.

파파파파파파파—!

흑색 태풍을 일으키는 것처럼 큰 원형으로 뭉쳐 쇄도하는 수마인들.

뒤이어 검상을 안고 쓰러졌던 수마인 수십 명 또한 벌떡 일어나 그 대열에 합류했다.

그때 천무외의 웅혼한 전성이 들리는데.

『어디 진력을 발휘해 봐라, 검무영!』

두 눈을 빛낸 검무영이 그런 상대의 뜻에 응하듯 우수에 쥔 천룡신검으로 고강한 진기를 흘려보냈다.

지이잉!

경쾌한 검명과 함께 칼날 주위로 기파가 마구 치솟더니.

츠츠츠츠츠— 파치치칫, 파치칫!

이내 용의 발톱처럼 생긴 날카로운 기운이 무수히 내돋쳤고 뾰족한 검극엔 어마어마한 용두 형상의 기류가 생성되었다.

진천의 용신기.

앞서 펼친 광해의 용신기처럼 눈에 담기 힘들 정도로 거대한 크기를 자랑하는 기류였다.

먼 후방의 하연설, 단선후 등 청풍검문 일동이 그 거대한 빛을 보고 뭐라 형언하기 힘든 경이감을 느낀 순간 검무영의 우수는 이미 쾌속한 선을 내긋는 중이었다.

팟—

전면으로 쇄도하는 수마인 무리를 향해 내찌른 검극으로 부터 용두 형상을 한 기류가 입을 크게 벌리고.

우우우우우우—

웅장한 용음을 터뜨린 진천의 용신기가 일대 지면과 대기를 두들기며 전방 공간을 사납게 휩쓸었다.

콰콰콰콰콰콰콰—

아가리를 쩍 벌린 용두에 의해 수마인 무리의 몸이 모조리 쇄파되어 허공으로 비산한다.

거대한 풍압과 폭성의 메아리.

꽈르르릉, 꽈르르르릉…….

진천의 용신기는 정면으로 맹렬히 돌진해 들던 수마인 무리를 전멸시키곤 그대로 멈추지 않고 적진을 향해 뻗어나갔다.

콰콰콰콰콰콰콰—

수마인 무리에 둘러싸여 비호를 받고 있는 천무외를 노린 것이다.

주인의 몸을 보호하고자 진천의 용신기 앞을 가로막은 수마인 일백여 명이 일시에 자잘한 육편으로 화하며 역겨운 피분수를 퍼뜨린 찰나.

천무외는 어느새 제 허리 옆에 걸린 묵필을 검으로 바꿔 쥐며 진천의 용신기를 마주 시전했다.

슈아아아아아아—!

온통 흑색으로 물든 육중한 검기.

검무영의 것과 달리 암흑의 용이 강림한 것 같은 거대한 기류였다.

그렇듯 두 진천의 용신기가 간극의 중앙에서 만나 강하게 충돌하자.

퍼어어어어어엉, 꽈르르르르르릉—!

여러 개의 화산이 일시에 폭발하는 듯한 굉음이 일대 공간을 마구 뒤흔들었고 주변 땅거죽은 대패질을 당한 것처럼 휘말려 하늘 높이 치솟았다.

시계를 완전히 가려 버린 방대한 먼지구름.

부스스슷, 부스스스슷…….

그때 천무외의 내밀한 전성이 검무영의 귀에 와 닿았다.

『홋, 진짜 시작은 지금부터인 것을.』

직후 검무영이 선 자리의 전방에 수마인 수십 명이 뿌연 먼지를 불쑥 헤치고 나와 둥글게 포위진을 이루곤 저마다 양손을 내뻗었다.

쏴아아아아아앙— 쏴아아아아아아앙—!

흑색 기류의 소용돌이가 복판에 놓인 먹잇감을 향해 마구 휘몰아친다.

동시에 검무영이 우수를 놀려 천룡신검을 땅에 콱! 쑤셔 박자 여러 마리의 용이 서로 몸을 감으며 승천하듯 빛의 기류가 원형으로 치솟아 수마인들 공세를 막았다.

퍼퍼퍼퍼퍼퍼펑!

그 육중한 소리에 이어.

쐐애애애애액!

예리한 파공음을 앞지른 극쾌의 검격이 전방을 횡단하며 그 방향에 자리한 수마인들 몸통을 반듯하게 끊어 버렸다.

푸학, 푸하악, 푸학……

고강한 참격, 멸절의 용신기.

포위진이 단번에 흐트러지자 검무영은 연거푸 손속을 뿌려 좌측, 우측, 그리고 뒤쪽의 수마인 무리를 모조리 베어 넘겼다.

하나 수많은 수마인 무리는 조를 나눠 연신 돌격해 왔다.

두두두두두, 두두두두두두—!

자욱한 먼지를 뚫고 나와 광폭하게 쇄도하는 수마인들.

질세라 검무영의 우수를 따라 움직인 천룡신검이 멸절의

용신기를 토하며 바닥 위에 어김없이 핏물을 퍼뜨렸다. 그러기가 무섭게 수마인 수십 명이 다시 좌우 측면을 노려 빠르게 육박했다.

동시에 소름 끼치는 파공음이 울린다.

쐐쐐쐐쐐쐐쐐쐐쐐쐐—!

심검지도를 운용한 것이다.

그 절륜한 기예 앞에 수마인 무리는 저마다 투명한 칼날을 몸통으로 받으며 육편처럼 잘게 분쇄되어 힘없이 쓰러져 누웠다.

검무영은 거듭 천룡신검의 칼날 위로 빛의 아지랑이를 생성하며 속으로 짧게 중얼거렸다.

'다르군.'

그랬다, 확실히 달랐다.

천무외가 이끌고 나타난 수마인 무리는 예전 용신부를 기습적으로 들이쳤을 때 보았던 미완의 수마인 무리와 비교해 일신의 힘에서부터 큰 차이가 났다. 마치 예전 수마대령이 거느렸던 수마인 무리를 보는 듯한 기분마저 들었다.

다시 한번 그의 귓전을 울리는 천무외의 전성.

『힘을 아낄 때가 아닐 텐데…… 이 많은 수를 감당하고 나면 과연 날 상대로 칼질이나 제대로 할 수 있으랴.』

검무영은 일언반구의 대꾸도 없이 먼지 가득한 전방으로

진천의 용신기를 연달아 발출했고 이백여 명의 수마인이 그 고강한 위력에 차례로 휩쓸려 소멸했다.

쿠우우우우, 쿠우우우우, 쿠우우우우……

가공스러운 힘의 여파로 지면이 세게 떨리는 가운데 먼지구름이 치솟는 공간 속에 모습을 감추고 있는 천무외가 내밀한 전성으로 비웃었다.

『후훗, 너만 날뛴다고 해결될 일이 아니지. 이제 문도들 안위도 걱정해야 될 것이야.』

아니나 다를까.

파파파파파, 파파파파파파!

하연설을 비롯한 청풍검문 일동이 자리한 곳의 뒤편 수풀로부터 풍성이 일더니 용신부 소속 검수 일백여 명이 기습을 가해 왔다.

쐐액, 쐐애액, 쐐액—!

공기를 가르며 정면을 노려 쇄도하는 멸절의 용신기들.

하나 적전제자들, 평제자들은 물러서지 않고 즉시 동일한 멸절의 용신기를 구사해 적의 공세를 맞받아쳤다.

퍼펑, 퍼퍼퍼펑, 퍼퍼펑, 펑—!

직후 적은 일사불란한 동작으로 큰 원진을 만들어 청풍검문 일동을 포위했다.

"발악은 거기까지."

용신부 검수 한 명이 그렇게 말한 순간 흑색 기류를 내뿜는 수마인 무리 오십여 명이 지척에 접근해 섰다.

"크르······!"

"카하악, 카하악, 카학!"

"우억, 우억!"

바로 그때.

피이잉—

포향이 터지듯 한 줄기 날카로운 소리가 들리더니 곧 가까운 허공에 작은 그림자 하나가 나타나 둥실둥실 뜬 상태로 머물렀다.

"멍, 멍!"

조교 개새의 등장이다.

이어서 개소름, 개이득, 개간지, 개폭망도 그 옆에 나란히 모습을 드러냈다.

한데 무슨 이유일까.

다섯 마리 모두 뒷다리에 정체 모를 커다란 주머니를 매달고 있다.

홀연 귓전을 때리는 검무영의 천리전성.

『시작해, 작전대로.』

개새가 귀를 쫑긋 세우더니 혜광심어의 수법으로 일렀다.

『이건 운몽 할머니가 만들어 준 특별한 약이야.』

동시에 개새, 개소름, 개이득, 개간지, 개폭망이 예의 검수 무리 머리 위를 빠르게 맴돌며 뒷다리를 세게 털자 각자 가진 주머니가 일제히 개방되며 괴이한 빛깔의 가루를 퍼뜨렸다.

스스스스스, 스스스스스스……

가루를 고스란히 뒤집어 쓴 검수 무리가 흠칫 놀란 순간 수마인 무리가 갑자기 광분해 괴성을 내지르다가 냅다 사나운 공격을 시작했다.

그것도 심지어 청풍검문 일동이 아닌 용신부 검수 일백여 명을 상대로.

"악! 사, 살려……!"

"끄아악!"

"컥!"

"어억!"

사방에 난무하는 비명과 선혈.

수마인 무리는 광기에 휩싸인 채 연신 검수 무리를 빠르게 죽여 나갔다.

『갈! 정신 차려라!』

저 멀리 천무외의 전성이 터져 나오자 수마인 무리는 그제야 비로소 광란의 피바람을 멈췄고, 허공에 떠 있는 개새

등을 바라보며 흉맹한 살기를 내뿜었다.

"커흥!"

"크르르……!"

개새는 아랑곳하지 않고 한 수마인 머리 위쪽의 허공으로 가더니 똥 덩어리 하나를 투척했다.

툭—

뒤이어 혜광심어를 통해 말하기를.

똥이나 처먹어! 하늘도 못 나는 병신들, 잡을 수 있으면 잡아 봐.

그러곤 새끼 네 마리와 더불어 날카로운 풍성을 남기며 저편으로 사라졌다.

피이이이이잉—

격노한 수마인 무리는 더 생각할 것도 없이 개새의 행로를 쫓아 쾌속한 뜀박질을 시작했다.

두두두두두두, 두두두두두두—!

그때 가까스로 생존한 용신부 검수 삼십여 명이 각기 신형을 추스르며 재차 임전 태세를 갖췄다. 또한 멀지 않은 곳에서 다른 적의 기척도 들렸다.

창졸간 청풍검문도들 귓가에 검무영의 은밀한 전음이 와

닿았다.

『잘 해내리라 믿고 있어. 자, 어서 가 봐.』

하연설은 두 눈을 빛내며 일동을 향해 외쳤다.

"어서 움직이자!"

"예, 대사저!"

그렇게 청풍검문 문도들 모두 날렵한 경공술로 숲길을 따라 나아가자 기존의 용신부 검수 무리와 추가적으로 나타난 수백 명의 검수가 이를 갈며 그 뒤를 맹렬히 추격했다.

검무영은 날선 기감에 등 뒤쪽 멀리의 인원이 숲 저편으로 사라진 것이 느껴지자 입매를 살짝 올렸다.

'내가 갈 때까지 최선을 다해 버려라.'

물론 수마인 무리는 그런 동안에도 폭풍우가 휘몰아치듯 쉴 새 없이 돌진해 들었고 검무영 또한 강맹하고 쾌속한 칼질을 멈추지 않았다.

슈아아아아아— 슈아아아아아—

전방으로 연거푸 발출된 멸절의 용신기가 거대한 작두처럼 수마인들 허리를 일직선으로 양단해 버린 순간.

"우억!"

"쿵! 크르릉!"

"카각, 칵!"

지금껏 죽어 쓰러진 무리보다 한층 큰 덩치를 자랑하는 수마인 삼십여 명이 검은 연기를 흩뿌리며 후방으로 빠르게 쇄도해 왔다.

파파파파, 파파파파—!

오직 이 싸움만을 위해서 용심마단을 과다 복용한 상위 전력의 괴물들.

여느 수마인 무리를 상회하는 우람한 몸집이 그것을 대변하고 있다.

멸절의 용신기를 회수한 검무영은 신형을 뒤돌리자마자 천룡신검을 세차게 내질렀고 진천의 용신기가 거듭 웅장한 위용을 과시하며 곧게 뻗어 나갔다.

콰콰콰콰콰콰콰콰— 우우우우우우우우—!

괴성을 지른 거대한 빛의 용은 그렇게 어마어마한 풍압과 폭성을 발하며 삼십여 명의 수마인을 한입에 집어삼키곤 일백 장 밖의 야산마저 두드려 부쉈다.

콰드드드드, 콰드드드드드……

산사태의 굉음이 이 광활한 평야의 대기와 지면을 뒤흔드는 와중에 커다란 몸집의 수마인 무리가 검무영의 앞뒤 방향에 나타나 공세를 퍼부었다.

쏴아아아앙, 쏴아아앙— 쏴아아아아아앙—!

각자가 내지른 두 팔을 따라 소용돌이처럼 폭사되는 흑

색 기류들.

검무영은 우수의 검을 놀리지 않았다.

그 대신.

번쩍!

아홉 마리의 용 형상을 한 눈부신 빛살이 체외를 맴돌며 전신의 피부가 순식간에 반투명한 은빛 비늘로 가득 덮였다.

용신기를 기반으로 한 내공과 외공이 극성의 조화를 이뤄야 비로소 사용할 수 있다는 재생의 용신기를 운용한 것이다.

퍼퍼퍼퍼퍼퍼퍼펑—!

무수한 흑색 기류가 상대의 몸통을 두드리는 요란한 파공음을 연주하자 안 그래도 먼지구름이 가득한 평야 내에 재차 방대한 홍진이 일어 허공으로 치솟았다.

쿠쿠쿠쿠…… 쿠쿠쿠쿠쿠……!

일대 공간의 세찬 떨림이 채 가시기도 전에 천룡신검의 육중한 검력이 앞쪽에 있는 수마인 무리를 한꺼번에 휩쓸었다.

콰콰콰콰콰콰콰콰콰콰—!

막대한 내공이 담긴 진천의 용신기.

고막을 찢는 폭음이 울리며 예의 수마인 무리가 피투성

이로 화한 찰나 새로이 발출한 진천의 용신기가 이번엔 뒤쪽의 인원을 노려 질주했다.

우우우우우— 콰콰콰콰콰—!

그렇게 수마인 무리는 저마다 육신이 쇄파되어 비릿한 혈우를 퍼뜨렸고 진천의 용신기는 좀 전과 마찬가지로 저 멀리의 낮은 산봉 하나를 무너뜨리며 자취를 감췄다.

가공스러운 신위 앞에 두려움을 가질 법도 하건만 이곳에 운집한 수마인 무리는 되레 흉맹한 기세를 높이며 상대가 숨을 잠깐 고를 틈조차 주지 않고 사방을 압박해 들었다.

그때 찰나적인 빈틈을 발견한 걸까.

수마인 하나가 용케 검무영의 우측으로 바싹 접근해 뾰족한 손톱을 세운 쌍수를 맹렬하게 내리그었다.

슈우웃!

파공음과 동시에 어깨를 찍어 누른 손톱들.

까강—!

쇳소리와 더불어 불똥이 튀더니 수마인이 두 손목에 충격을 받은 듯 괴로운 소리를 뱉었다.

"크……!"

검무영의 살갗은 멀쩡했다.

단지 무복의 어깨 부위 천만 길게 찢겨 나갔을 뿐.

불가해할 정도로 견고한 힘을 가진 재생의 용신기를 뚫지 못한 것이다.

덥석!

검무영은 좌수로 수마인의 목을 옥죄고는.

꽈드득, 퍼어억!

단숨에 그 목을 쥐어 터뜨려 죽였다.

후두둑…….

직후 수마인 여러 명이 검무영의 등 뒤로 육박한 순간 체외를 맴돌던 구룡(九龍)의 빛살이 화살처럼 쏘아졌다.

푸하악, 푸학, 푸하아악—!

일시에 가슴팍이 꿰뚫린 수마인 무리가 균형을 잃고 지면 위로 쓰러져 눕자 천룡신검이 짧은 검명을 발했다.

우웅—!

뒤이어 검무영이 진천의 용신기와 광해의 용신기를 연달아 발출해 일백여 명의 수마인을 미세한 가루로 만들며 사방 공간을 마구 진동시켰다.

우르르르르르르릉, 쿠구구구구구구궁……!

어마어마한 굉음이 하늘 아래의 평야 전체를 떨쳐 울리는 가운데 최후방에 자리한 천무외는 득의의 미소를 머금은 채 머릿속으로 이 싸움의 향방을 계산 중이었다.

'놈은 공력 소모가 큰 진천의 용신기와 광해의 용신기

를 벌써 여러 번 구사했다. 좋아, 그렇듯 계속 힘을 쏟아 부어라. 차후 네가 여력을 지녔다고 한들 온전한 상태의 힘이 아니면 내가 새로이 깨달은 기예를 감당할 수 없을 터……!'

불현듯 검무영이 쩌렁쩌렁한 전성을 발했다.

『흠, 되도록 힘을 아꼈다가 네 녀석한테 몽땅 퍼부으려 했는데 시간을 단축하려면 어쩔 수 없겠군.』

바로 천무외를 향한 말.

몸을 뒤로 뺀 상태로 자신이 지치기를 기다리는 그 비겁한 태도를 꼬집은 것이다.

천무외는 예전 영혼지체를 통해 검무영과 나눴던 대화가 생각났다.

—과거 그릇된 야욕을 품은 순간부터…… 너 역시도 절대 봉인 속에 갇힌 것이나 마찬가지야.

—홋, 무슨 소리를 지껄이는 것이냐.

—누구도 쉬이 대적할 수 없는 힘을 과시하며…… 진짜 신이 된 양…… 마음이 한껏 들떴을 테지. 그래서 연신 멈추지 않고 피의 악로를 밟아 나아가는 거겠지. 대저 권력의 속성이 그런 것이니까.

—어쭙잖은 설교는 집어치워라, 검무영.

—힘이 한층 강해지는 만큼…… 그것이 무한대의 권위와 자유를 준다고 착각하기 마련이지. 하나 그 반대다. 시간이 흐르면 흐를수록 결코 그것으로부터 자유로워질 수 없어. 자각하기 힘든 구속이랄까.

—그래서…… 내가 절대 봉인 속에 갇힌 꼴이다? 우습군. 본좌는 여느 무리와 다르니라. 장차 내가 누리게 될 권력이란 천하의 어느 누구도 넘볼 수 없는 수준에 도달할 터이니. 단언컨대 향후 본좌와 본 부의 힘에 맞서 사력을 다한다고 해도 네 육신은 물론이고 그 영혼마저 건사하기 힘들 것이다. 특히 네 아내 하연설은…… 본 좌의 노리개로 삼은 후 수마인들 먹잇감으로 던져 주도록 하마.

—어디 모조리 데리고 와 봐. 그러면 제대로 보여 주도록 하지. 내가 전력을 실어 뿌리는 검의 힘을…….

—마치 내가 알지 못하는 기예가 존재한다는 소리처럼 들리는군.

—있어.

—과거 수마대령을 상대로 구사했던 그 검초를 의미함인가? 안타깝지만 이미 너의 상념을 통해 보았느니라.

—네가 오백여 년 동안 쌓아 올린 그 힘은…… 일
천여 년의 위엄 앞에 무참히 사라질 것이다.

천무외는 곧 기감을 한껏 돋워 검무영의 숨소리가 조금
거칠게 변한 것을 감지했다.

엷은 미소를 머금은 입술.

'후훗…… 젊은 용의 치기 어린 패기는 늙은 용의 영민
한 심기를 이길 수 없는 법.'

그러곤 홍진이 가득 휘날리는 전방으로 시선을 던지며
도발적인 천리전성을 울렸다.

『그때 전력을 실어 뿌리는 검을 보여 준다더니 어찌하여
출수를 망설이는 것이냐? 그것으로 말미암아 일신의 한계
가 드러날까 봐 두려운가?』

질세라 검무영의 천리전성이 터져 나오고.

『안 그래도 지금 보여 줄 생각이야.』

직후 그가 천룡신검을 머리 위로 곧게 세워 들자.

꽈르르르릉, 꽈르르르르릉, 꽈르릉…… 쿠우우, 쿠우우
우, 쿠우우……!

흡사 산맥이 통째로 무너져 내리는 것 같은 무형지기가
일대 공간을 마구 짓눌렀고, 그 위력에 의해 맹렬히 쇄도해
들던 수마인 오백여 명이 지면 위로 퍽퍽! 엎어지기 시작했

다.

"크아악!"

"칵! 카각!"

"우억!"

나머지 수마인 무리는 본능적으로 어떤 위험을 감지한 듯 눈빛이 돌변하더니 일제히 신형을 뒤로 물려 거리를 벌렸다.

반면 바닥에 엎어진 수마인 오백여 명은 어떻게든 육중한 무형지기를 벗겨 내고자 용을 썼지만 오히려 근골이 강제로 뒤틀리는 고통만 가중되었다.

이내 천룡신검의 칼날을 따라 빠르게 솟구치는 거대한 빛살.

슈슈슈슈슈슈슈슈슈!

호흡지간 거대한 빛의 기둥이 나타나 하늘과 땅을 연결한 것 같은 경이로운 광경이 펼쳐졌다.

스스스스슛, 스스슛, 스스스스스슛—

천무외는 앞쪽의 먼지구름 위로 드러난 빛살의 표면이 눈 깜짝할 사이에 용의 비늘과 같은 문양으로 뒤덮이는 것을 보며 동공을 반뜩였다.

'호오, 저것이 과거 수마대령의 목을 갈랐던 최후의 검초……'

이어서 그 입가에 짙디짙은 냉소가 조용히 맺혀 들었다.

'이 싸움, 내가 이겼구나. 후훗.'

그때 검무영이 번쩍 들어 올린 우수를 아래로 빠르게 휘두르자 거대한 검기가 지상을 무참히 두드려 부수며 강대한 폭발을 일으켰다.

콰콰콰콰콰쾅— 콰콰콰콰콰쾅—!

＊　　　＊　　　＊

청풍검문 동쪽의 외곽지.

울창한 수림을 배경으로 둔 널따란 공간에 복색이 판이한 두 진영이 정면으로 대치했다.

한쪽은 청풍검문의 간부진을 중심으로 합심해 뭉친 전력, 그리고 다른 한쪽은 용신부의 최정예 검수 무리와 그 깃발 아래 굴종의 맹세를 한 마도 세력이 연합한 전력이었다.

삼십여 장의 거리를 두고 자리한 채 임전 태세를 갖춘 양측은 뭐라 형언하기 힘들 정도로 짙은 살기와 투기를 내뿜었다.

용신부 무리의 최선두에 선 노인이 눈알을 좌우로 굴려 상대 진영을 살피더니 곧 전방 십여 장의 지면으로 시선을 던졌다.

거기엔 용신부 산하 수룡검단(水龍劍團)의 검수 십여 명
이 새하얗게 빙결이 된 상태로 마치 조각상처럼 굳어 있는
데…….

하나 그것이 전부가 아니었다.

주변의 바닥엔 이미 얼음 조각이 된 상태로 무참히 깨져
목숨이 끊겨 버린 적의 시신이 이십여 구가 넘게 흩어져 있
었다.

"끌."

나지막이 혀를 찬 노인이 허리 옆에 걸려 있는 검의 칼자
루 끝에 손을 얹었다.

천룡정 형산검조(衡山劍祖) 유위(劉偉).

과거 호남성 형산 내에 거처를 두고 큰 무명을 떨쳤던 정
파 무림의 최고수이자 천중팔절의 으뜸…… 바로 예의 노
인의 신분이었다.

별안간 누군가의 웅장한 목소리가 장내를 크게 떨쳐 울
렸다.

『나이를 처먹을 대로 처먹은 강선림 황 새끼 둘은 어디
에 있어?』

관궁이 발한 천리전성이다.

이내 용신부 무리가 조용히 반으로 갈라서자 그 사이로

은암권황 엄언과 홍간무황 진조가 나란히 모습을 드러냈다.

직후 관궁이 광속신황검을 콱! 움키며 입매를 씰룩 비틀었다.

"크극, 오늘 어디 제대로 한번 붙어 보자. 시건방진 노땅 개새끼."

은암권황 엄언의 시선이 거리를 격해 관궁의 얼굴 위로 꽂힌 순간 한 아리따운 여인이 또렷한 전성을 발했다.

『초장부터 호기롭게 돌진하다가 그만 빙무총리 손속 앞에 모조리 얼어붙고 말았네요. 우웅, 이를 어떡한담? 일단 녹여 줄게요.』

그러곤 까르륵 웃는 여인.

영양사인 파초대마후 운몽향아였다.

그때 장중한 기도를 내뿜는 한 인물이 그녀 곁을 지나쳐 몇 발짝 앞으로 나오더니 검을 수평으로 눕혀 쥐며 중얼거리듯 말했다.

"불은 바람을 만나면 더욱더 커지기 마련이지."

당대 사상존의 일인이자 청풍검문 취사장인 철화검성 공야휘의 등장이다.

화르르륵, 화르르르륵—!

중원을 통틀어 한 자루뿐인 분화의 묘용을 발휘하는 검

화영검이 시뻘건 불꽃을 일으키더니 전방을 향해 쾌속한 궤적을 내그었다.

슈아아아아아앗— 화아아아아아악!

시계에 보이는 모든 것을 재로 만들어 버릴 듯한 위압적인 화염의 기파.

어느새 그의 좌우로 온 홍청, 망청이 강맹한 창풍을 토하자 맹렬히 뻗어 나가던 화염검기가 방대하게 퍼지며 공간을 뒤덮었다.

쿠아아아아아아아아아아아아—!

第二章
건곤일척(乾坤一擲)의 결전(決戰)

극성에 도달한 이화철륜신법과 조화된 검화영검의 신력
이 삽시에 전방 공간을 가득 덮치자 그 반경에 든 초목 따
위가 일제히 재로 화해 흩날렸다.

파스스스슷, 파스스스스슷…….

숨조차 쉬기 힘들 만큼 엄청난 열기.

화염검기의 여파로 뜨거운 아지랑이가 사방으로 넓게 퍼
지자 일대 경물이 일그러져 보이며 그 가공스러운 힘을 대
변한다.

공야휘가 시전한 참격에 더해 홍청, 망청이 내뿜은 무형
의 창풍이 어우러진 공세는 그렇듯 엄청난 위용을 과시하

며 일행의 사기를 북돋웠다.

한옆에 자리한 적혈검마 승조운은 내심 크게 감탄했다.

'햐, 다시 봐도 무시무시한 검력이군! 예전 검 교두와 겨뤘을 때와 비교해 과연 얼마나 강해졌으려나?'

방대한 열류가 주변 대기를 마구 휘감은 그때, 적진으로부터 돌연 거센 바람이 일더니 시계를 어지럽히던 기파의 잔해를 말끔히 소멸시켰다.

후후후후후후후훙—

양 진영 사이에 빙결 상태로 굳어 있던 용신부 검수들의 모습은 일절 보이지 않았다.

앞서 화염검기가 그 자리를 휩쓸고 지나가며 모조리 태워 없애 버렸기 때문이다. 하지만 그 너머에 있는 적진의 인원은 어마어마한 불길의 기류로부터 몸을 지켰다.

선두로 나온 은암권황 엄언이 순간적으로 막대한 힘을 발휘해 휘하 무리를 보호한 것이었다. 좀 전의 거센 바람은 바로 그가 발출한 무형의 권풍이었다.

운몽향아가 곧 시뻘건 주걱을 꺼내 들더니 파초선의 형태로 바꾸며 고혹적인 미소를 머금었다.

『오호홋, 살짝 녹여 준다는 게 그만 말끔히 없애 버리고 말았네요. 역시나 취사장은 불순한 적을 상대로 힘을 적당히 조절하는 법을 모른다니까요.』

조롱이 섞인 말투였지만 적진을 이끄는 두 황 엄언과 진조는 아무런 감흥도 없다는 듯 무미건조한 표정이었다.

둘을 대신해 반응한 사람은 천룡정 형산검조 유위였다.

『사상존의 수좌답게 자못 훌륭한 솜씨로다.』

공야휘가 서늘한 안광을 발하더니 우수의 겁화영검을 아래로 비스듬히 기울이며 마주 전성을 발했다.

『참으로 오랜만이오. 형산검조.』

그러자 유위가 두 눈에 이채를 띠며 머리를 살짝 끄덕인다.

『노부의 얼굴을 잊지 않았구나. 한데 그 말투가 심히 귀에 거슬리는구먼. 내 그래도 소싯적엔 네 사부와 정분이 꽤 두터웠거늘.』

그의 말마따나 철무련의 전대 련주이자 공야휘의 사부인 철염신검 등지승은 한때 유위와 교류하며 서로 각별하게 여기던 사이였다.

공야휘가 아직까지 상대의 외형을 선명히 기억하고 있는 것도 그 때문이었다.

비록 수십 년 세월이 지났지만 지금 유위의 모습은 과거 자신이 마지막으로 만났을 때와 큰 차이가 없어 만약 한눈에 알아보지 못했다면 그게 더 이상할 일이었다.

이내 공야휘가 한층 싸늘한 눈빛을 흘렸다.

『우습구려. 이런 상황에…… 윗사람을 깍듯이 대하는 예를 원하는 게요? 단언컨대 형산검조란 일신의 별호는 장차 세인의 뇌리에 추한 악적의 명호로 기억될 것이오.』

그 단호한 응답에 유위는 의미심장한 표정을 짓다가 재차 전성을 건넸다.

『철염신검은 과거 팔절과 어깨를 나란히 하지 못한 자신의 실력을 항상 책망했지. 하나 생전의 그를 대신해 제자인 네가 당대를 대표하는 존자 반열의 상석을 거머쥐었으니 저승에 가서도 후회는 않겠구나. 그렇지만 자신이 머물고 있는 곳에 아끼는 제자의 혼이 나타나게 되면 과연 어떤 표정을 지을까?』

제 손으로 직접 옛 지인의 제자인 공야휘를 죽여 없애리라는 선언이나 다름없는 말.

직후.

화르륵— 화르르륵!

시뻘겋게 단 겁화영검의 칼날 위로 염화의 기운이 이글이글 춤을 춘다. 어디 능력껏 죽일 수 있으면 죽여 보라는 듯이.

그것을 신호로 관궁, 운몽향아, 홍청, 망청 등 청풍검문 간부진을 비롯한 수많은 인원이 일제히 자세를 갖췄다.

그때 엄언이 가만히 입을 떼기를.

"천마제와 혈마대제의 모습이 보이지 않는군."

몸소 나서 마도 무림의 두 거성을 처치하고 싶었는데 이곳에 없어 왠지 아쉽다는 기색이었다.

삼십여 장의 먼 거리였지만 관궁은 내공을 운용한 청력으로 그 목소리를 분명히 들었다.

"하, 저 건방진 새끼 봐라. 감히 날 앞에 두고 다른 상대를 찾아?"

방금 전 엄언의 말은 일전 손속을 가볍게 나눈 바 있는 상대 관궁을 철저히 무시하는 태도인데.

운몽향아가 눈치를 힐끔 살피더니 나지막한 음성을 내뱉었다.

"흐응, 이제 열 받아서 막 날뛰시겠네. 심통이 잔뜩 난 열 살배기 아이인 양."

"큭, 닥쳐! 할망구!"

신경질을 부린 관궁이 곧 쩌렁쩌렁한 천리전성을 터뜨렸다.

『넌 어차피 나와 싸울 수밖에 없어! 나이만 실컷 처먹은 노땅! 그나저나 무려 수백 년을 곯은 몸인데 아침마다 아랫도리 물건이 제대로 서긴 하느냐? 최상의 상태라도 내 검을 감당하기란 무리일 텐데 말이다. 크큭.』

동시에 홍청, 망청이 뒤뚱뒤뚱 움직여 가까이로 오더니

각기 글을 새긴 팻말을 번쩍 쳐든다.

"흐어엉."

"꾸웅."

〈어럽쇼, 이 사람 좀 보소. 너무 많은 나이로 인한 발기 부전은 자기도 마찬가지 아닌가? 이미 이백 살도 훌쩍 넘은 노땅이 다른 가여운 노땅을 조롱하는 꼴이라니, 어허.〉

〈세상에, 동병상련의 정을 보내진 못할망정 어찌 그러시오! 애늙은이 양반! 차후 개새 조교님을 보신탕으로 만들어 잡수신다고 한들 솔직히 큰 효력이 있을까 의문스러운데.〉

이마 위로 핏대를 세운 관궁이 살벌한 얼굴로 고함쳤다.

"이 정신 빠진 곰 새끼들, 어서 싸울 준비나 해! 가죽을 통째로 확 벗겨 버리기 전에!"

그러자 흠칫 놀란 홍청, 망청이 새로운 팻말을 집어 들었다.

〈나중에 교두님을 뵙거든 짐승 보호법 제정을 건의토록 하겠습니다. 이거야 원, 어디 무서워서 만두나 제대로 삼킬 수 있겠나?〉

〈나중에 예비 신부인 사낭한테 전부 고자질해 버릴 테

다! 애늙은이는 절대 사귀어선 안 되는 지랄 개차반이라
고!〉

"하…… 미친 것들."

한숨을 쉰 관궁은 어이가 없다는 듯 고개를 절레절레 흔
들었다.

운몽향아가 화사한 웃음기를 머금더니 부드러운 목소리
로 타이르듯 일렀다.

"너무 그러지 말렴. 알고 보면 어르신도 좋은 사람이란
다. 참, 새로운 팻말로 우리 편 사기나 북돋워 주는 게 어떻
겠니?"

홍청, 망청이 큰 머리를 끄덕이더니 뒤편의 일행을 향해
두 개의 팻말을 들어 보인다.

〈이 세상에 있는 곰들 중 가장 강한 건 누구? 바로 우리,
청안신웅묘 홍청, 망청! 인정? 어, 인정! 야호, 다 같이 소
리 질러!〉

〈옛말에 따르면 재주는 사람이 넘고 돈은 곰이 받는다고
했다. 그러니 다들 아무쪼록 우리를 위해 열심히 싸워 보거
라!〉

그것을 본 일행은 앞서 관궁과 마찬가지로 긴 한숨을 뿜었다.

『우스꽝스러운 짓거리는 거기까지, 저승에 가서 마저 놀아라.』

　유위가 이렇게 전성을 울린 순간.

　콰지직!

　지면을 밟아 부수는 둔탁한 소리가 들리더니 한 작은 인영이 쏜살처럼 거리를 격해 나아갔다.

　파파파파파파파—

　성질 급한 관궁이 쾌속한 운신으로 선공을 시작한 것이다.

　목표는 당연히 엄언.

　그때 용신부 검수 무리가 날렵한 경공술로 마주 돌진해 관궁의 행로를 가로막았다.

　슈아악, 슈악, 슈아악—!

　공기를 가르는 파공음과 동시에 검수 십여 명이 멸절의 용신기를 토한다.

　하나 관궁은 전진을 멈추지 않은 채 광속신황검을 휘두르려 했다.

　바로 그 순간.

　흥청과 망청이 어느새 그 뒤를 바싹 따라붙으며 누가 먼

저랄 것도 없이 들입다 죽창을 내질러 강맹한 창기를 쏘았
다.

콰콰콰, 콰콰콰콰—!

두 죽창으로부터 사납게 발출된 나선 형태의 기류.

회선창쇄기.

강호 역사상 가장 악랄한 창법이라는 천옥창후 주려화의
진전 천옥혈무창법의 상승 초식이다.

거센 회오리처럼 뻗어 나간 창기는 순식간에 멸절의 용
신기를 모조리 쇄파하곤 그대로 예의 검수 무리를 휩쓸었
다.

"아악!"

"끄아아……!"

"컥!"

날카로운 비명을 내지른 십여 명의 검수는 무시무시한
창력에 의해 저마다 온몸이 잘게 분쇄되어 지면 위로 시뻘
건 핏물을 흩뿌렸다.

투투투투툭, 투투투투투툭—

창졸간 관궁의 입가로 엷은 미소가 스쳐 지나간다.

마치 '망할 곰 새끼들, 이럴 때는 또 기특하구나.' 라고
칭찬하는 것처럼.

그런 그의 신형은 어느새 은암권황 엄언의 면전에 이르

렸고.

쐐애액!

고강한 내력을 담은 광속신황검의 칼날이 상대의 머리통과 더불어 일대 공간을 무참히 쪼개 버릴 듯이 위에서 아래로 맹렬히 떨어져 내렸다.

광속능천검식 내 참격의 초, 일광멸신(一光滅身).

엄언도 질세라 소맷자락을 펄럭이며 은빛 광채를 발하는 우권을 앞으로 쭉 뻗었다.

후우욱!

일신의 절학 은봉대류권법(銀峯大流拳法)의 일초를 전개한 것이다.

그렇게 칼과 주먹이 정면으로 부딪치자.

쫘우우우우우우웅!

폭성이 터지기가 무섭게 관궁이 상체를 휘청대며 오륙보 뒤로 후퇴했다. 그리고 엄언 역시도 몸이 가볍게 흔들리며 상대와 똑같은 거리를 물러섰다.

"크큿."

짧은 소성을 발한 관궁이 광속신황검의 끝을 앞쪽으로 겨누며 호기롭게 말했다.

"어때, 따끔한가?"

엄언이 문득 자신의 우수로 시선을 옮기자 다섯 손가락

위를 가로지른 미세한 혈선이 보였다.

앞서 일광멸신을 맞받은 여파로 생긴 흔적이다.

"제법이군."

나지막하게 중얼거린 엄언이 홀연 뭔가를 꺼내 들었다.

바로 은빛 철로 제작한 장갑 한 쌍.

철컥, 철컥—

양손에 그 장갑을 착용한 엄언은 곧장 상대를 주시하며 호기롭게 말했다.

"오라."

관궁이 히죽 웃으며 그 말을 받았다.

"은봉권문의 신물인가?"

그러곤 체외로 어두운 잿빛 기류를 마구 내뿜기 시작하는데.

ㅊㅊㅊㅊㅊㅊㅊㅊ—

동시에 광속신황검이 세찬 떨림을 자아내고.

웅웅웅웅, 웅웅웅웅웅!

긴 칼날을 따라 환한 광채가 연기처럼 일며 예의 잿빛 마기와 섞이더니 뭐라 형언하기 힘든 기이한 색을 띠었다.

"용심마단의 힘을 아끼다간 내 손에 허무히 뒈진다."

관궁은 그 말이 끝나기가 무섭게 급속도로 거리를 압축하며 검극을 내찔렀고 엄언 또한 장갑을 두른 좌권으로 은빛 기류를 발출해 맞섰다.

꽈과과과과과광—!

그렇게 두 초인의 공방이 만들어 낸 꿍음이 울려 퍼짐과 동시에 양 진영이 일제히 서로를 노려 돌진하며 본격적인 결전의 막이 올랐다.

수를 헤아리기 힘든 어마어마한 인원이 한 공간에 뒤엉켜 싸움을 시작한 가운데 백수동의 동주 금수태령 목남은 휘하의 정예 전력을 이끌고 아룡검단(牙龍劍團), 고룡검단(古龍劍團) 등과 맞섰다. 그리고 한 조를 이룬 흑정독고 매륜도 흑무곡의 독인 무리를 통솔해 흑무독살진을 전개하며 공세를 도왔다.

"투척!"

매륜의 명령이 떨어지기가 무섭게 흑무곡의 독인 수백 명이 새까만 구슬처럼 생긴 독문 화기 흑무독주를 꺼내 들고 적진을 향해 던지자.

퍼펑, 펑, 퍼펑, 펑— 쿠쿵, 쿠구궁, 쿠궁—!

무수한 흑무독주가 드센 폭발을 일으키며 짙은 독무를 마구 퍼뜨렸고 용신부 검수 수십 명이 괴로운 신음을 흘리며 신형을 비척거렸다.

"끅!"

"흐으윽!"

"커컥!"

안개처럼 빠르게 퍼진 독기를 흡입한 영향으로 심맥이 뒤틀린 까닭이다.

결국 그 독성을 견디지 못한 여러 검수는 눈, 코, 입으로 핏물을 줄줄 흘리며 지면 위에 허물어지듯 쓰러졌다.

털썩, 털썩, 털썩……!

이렇듯 흑무독주를 통한 흑무독살진이 공간 한쪽을 가득 메우고 들자 예의 적은 그 독무의 반경을 피해 저마다 몸을 뒤로 뺐다.

직후 매륜이 재빨리 전성을 보내고.

『기회요, 목 동주!』

그러자 멀지 않은 곳에 자리해 각종 독공을 구사하던 목남이 우렁찬 목소리를 토했다.

"가서 쓸어버려라!"

동시에 지척의 숲 속에 조용히 도사리고 있던 붉은 박쥐 떼 이천여 마리가 요란한 날갯짓으로 쇄도해 들기 시작했다.

취취취췻, 취취취취췻, 취취췻—!

백수동이 자랑하는 핵심 전력 중 하나이자 사람의 피를 한 방울도 남김없이 빨아 체내의 가공스러운 독기를 보충한다는 희대의 독물 흡혈광편복이었다.

"키악!"

"키아악!"

"키악!"

광폭하게 울음을 토한 흡혈광편복 떼는 이빨을 세운 채 용신부 검수들 몸에 무차별적으로 들러붙었다.

독물의 등장은 그게 끝이 아니었다.

담황색 털을 가진 표범 일백 마리를 비롯해 삵, 뱀, 고양이, 쥐, 멧돼지, 수리, 매, 올빼미 등이 잇달아 떼를 지어 나타나 전방의 적을 마구 압박해 갔다.

독무를 피해 후퇴한 아룡검단, 고룡검단 등의 검수들 모두 멸절의 용신기를 구사해 맞섰지만 독물의 수가 워낙 많았다. 그리고 각 독물이 보유한 독성의 기운도 대처하기 여간 까다로운 것이 아니었다.

"괘씸한 놈들, 맛이 어떠냐!"

목남이 호기로운 목소리를 발한 그 순간.

쐐애애액—!

엄청난 파공음이 터져 나오더니 독물 수백 마리가 일시에 몸통이 찢겨 나가며 피분수를 퍼뜨렸다.

그것을 본 목남과 매륜은 소름이 오싹 끼쳤다.

'대단한 검세……!'

방금 일검을 뿌려 독물 수백 마리를 죽여 없앤 자는 바로 용신부의 수뇌부인 서룡정 포악검귀 사혁이었다.

지이잉.

칼날이 떨리는 소리에 이어.

쐐애애액—!

사혁이 검을 쾌속하게 놀리자 기다란 검기가 발출되어 맹수, 맹금 수백 마리가 재차 몸통이 갈가리 찢기며 죽음을 맞았다.

과거 천중팔절 중 가장 악명이 높았던 인물답게 난폭하고 악랄하기 이를 데 없는 검초였다.

"더러운 독인 집단 따위가 감히 설쳐 대다니……."

그렇게 말한 사혁이 한쪽 입꼬리를 당겨 올리자 좌측 뺨부터 턱 아래까지 이어진 가느다란 검상의 흉터도 덩달아 씰룩 움직인다.

두 번의 고강한 검초 앞에 독물들의 공세가 잠깐 주춤한 사이 백룡대(白龍隊) 검수 일백여 명이 가세해 무형의 투기와 살기를 내뿜었다. 또한 아룡검단, 고룡검단 등의 인원도 안정을 되찾으며 살짝 흔들린 호흡을 가다듬었다.

그때 목남이 수신호를 보내자 그 직속 단체인 백수괴독회 이백여 명이 일제히 독성의 내공을 이끌어 내며 저마다 얼굴 위로 노기의 빛을 드러냈다.

직후 안광을 번뜩인 목남이 말하기를.

"방금 뭐라 지껄인 것이냐? 더러운 독인 집단? 우습군, 설마 너희보다 더러울까."

그러자 사혁이 칼날 위로 투명한 아지랑이를 퍼뜨리며 이기죽거렸다.

"독인과 말을 섞는 것조차 불쾌하거늘."

"놈! 뚫린 입이라고……."

목남이 성난 목소리를 토하며 지면을 박차고 돌진하자 백수괴독회도 그 뒤를 따라 사나운 기세로 나아갔다.

질세라 각종 독물들 또한 예의 공세를 다시 전개했고, 매륜 역시 제 휘하의 인원과 함께 날렵한 경공술을 펼쳤다.

어느새 사혁 앞에 이른 목남이 우장을 내밀자.

후우웅!

시퍼런 독기를 품은 장공이 묵직한 풍성을 울리며 상대의 가슴팍을 노렸다.

동시에 마중을 나가는 사혁의 검극.

퍼버벙!

장공과 검기가 충돌하자 경쾌한 파공음이 터져 나왔고, 그 반탄지력에 의해 목남의 신형이 크게 흔들리며 십 보 뒤로 후퇴했다.

'크음!'

속으로 짧은 외침을 발한 목남은 어금니를 꽉 깨물며 눈살을 찌푸렸다.

하마터면 기혈이 뒤집힐 뻔한 까닭이다.

사혁이 그런 목남을 바라보며 광오한 태도로 입을 열었다.

"남림삼비역 패자들의 실력은 조금 더 특별할 줄 알았는데."

그런 와중에 백수괴독회를 비롯한 백수동의 독인들, 그리고 매률을 필두로 한 흑무곡 인원이 용신부 검수 무리와 격렬히 맞부딪치고.

퍼펑, 펑, 쫘우웅, 퍼버벙, 쾅쾅—!

난무하는 독공과 검기에 의해 요란한 폭성이 사위에 메아리친다.

그때 상대의 도발적인 언사에 화가 난 목남이 즉각 극성의 내공을 이끌어 내며 고함쳤다.

"갈! 어디 제대로 겨뤄 보자꾸나!"

그런데 갑자기 한옆으로부터 불쑥 등장한 인영이 우수를 빠르게 휘두르자 백색의 거대한 기파가 아롱검단 소속 검수 삼십여 명을 한꺼번에 덮쳤다.

쏴아아아아아아—!

뼛속까지 얼려 버릴 듯한 엄청난 냉기.

그렇게 예의 검수 무리는 온몸이 새하얀 서리로 덮인 것처럼 빙결이 되고 말았다.

티티틱, 티티티틱, 티틱, 틱—

손속을 뿌린 인영의 정체는 바로 북리상이었다.

곧이어.

콰악!

북리상이 주먹을 움키자 강대한 무형지기가 발출되어 얼음 조각상으로 화한 검수 무리를 모조리 깨부숴 버렸다.

꽈드드드득, 꽈드드드드득—!

지면 위로 흩어져 떨어지는 여러 육신의 파편들.

북리상은 신속히 목남 곁으로 가 서며 나지막한 목소리를 건넸다.

"백 동주, 중요한 결전인데 평정심을 잃으면 곤란하오. 그는 지금부터 내가 맡겠소."

목남은 그제야 불길인 양 들끓던 심기를 억누르며 잠시간 흥분한 자신을 속으로 꾸짖었다. 그러곤 즉각 보법을 밟아 백수괴독회 등이 싸우고 있는 곳으로 향했다.

사역이 이내 가슴 앞으로 검을 세우더니 씩 웃는다.

"훗, 빙백무종…… 일전의 짧은 대면이 자못 아쉬웠던 것이냐?"

그러자 북리상도 검을 뽑아 들며 서늘한 무형의 기도를 내뿜었다.

"용심마단의 힘을 이끌어 내더라도 끝내 죽음을 피할 수 없을 것이다."

"참으로 보기 흉한 만용이로군. 어서 백빙경보검이나 꺼내라. 가만, 혹시 그 신물을 소실한 것이냐?"

"널 없애는 데엔 이것으로 충분하다."

현재 북리상이 소지한 칼은 예전에 검림지존 나안걸태가 가지고 있던 신검들 중 하나였다.

사혁이 눈매를 가늘게 좁히며 말을 받았다.

"좋아, 내 약속하지. 수십 합 내로 너의 팔다리를 자르고 주둥이를 한껏 찢어 병신으로 만든 다음 수마인들 먹잇감으로 던져 주겠노라고."

호홀지간.

파파파파파파—

북리상의 등 뒤로 백룡대원 넷이 빠르게 쇄도해 오며 파풍의 용신기를 구사했다.

흡사 회오리처럼 맹렬히 쏘아지는 검풍들.

빠른 속도로 신형을 선회한 북리상의 옷자락이 심하게 부풀며 펄럭이더니.

슈슈슈슈슈슈!

눈보라가 몰아치며 시야를 뿌옇게 가렸고 한데 뭉쳐 다가들던 파풍의 용신기가 일제히 쇄파되었다. 또 나아가 검수 네 명의 신형도 빙결과 동시에 잘게 부서지며 미세한 눈가루로 화했다.

무극빙정대공.

내공 수위가 부족한 무인은 이 기운을 접하는 것만으로 폐부가 얼어 죽음을 맞게 된다는 북해빙궁의 기공 절학이다.

사혁이 그 틈을 노렸다.

파팟!

용천혈로 기를 폭사한 그는 순식간에 간극을 좁혀 횡단의 기세로 칼을 내그었다.

좌아앗—!

칼날의 궤적을 따라 긴 톱니와 같은 육중한 검기가 뿜어져 나왔다.

포악검귀란 일신의 별호를 상징하는 검학 사악칠절검법(邪惡七絶劍法)의 상승 초식인 거치멸혼세(鋸齒滅魂勢).

북리상이 그 검초에 맞서 진각을 밟자 전면에 작고 두꺼운 빙벽이 치솟았다.

까아아아아앙!

검기과 맞부딪힌 빙벽의 표면으로부터 큰 불똥이 일자마자.

쩌저저적, 쩌저저적—!

거치멸혼세의 기운이 마치 투명한 물결처럼 사위로 번졌고 빙벽은 그대로 산산조각이 나 허공으로 비산했다.

직후 북리상이 앞을 향해 검을 쭉 뻗자 그 끝으로부터 작은 대포알 같은 냉한의 검기가 한 줄을 지어 쏘아졌다.

투투투투투툿—!

육 할 이상의 공력을 실은 연환빙검포였다.

사혁은 급속도로 쇄도해 드는 빙기의 포탄에 맞서 검을 마구 휘돌렸다. 그러자 칼날의 움직임을 따라 파생된 무수한 검기가 겹치고 겹치더니 둥글고 커다란 장막을 만들었다.

절정의 방어 검도로 불리는 검막이다.

퍼버버버버버벙!

그렇게 서로의 고강한 검세가 충돌하자 사나운 폭음과 더불어 광대한 기파의 잔해가 사위로 퍼지며 지축을 흔들었다.

우르르릉, 우르르르릉—

연환빙검포가 발휘한 힘이 더 강했던 걸까.

"웃!"

뾰족한 목소리를 발한 사혁은 발바닥으로 지면을 지이익! 긁으며 십 보 남짓한 후방으로 미끄러지듯 빠르게 밀렸다.

북리상은 즉각 내공을 한 단계 위로 끌어올리며 경고조로 전성을 보냈다.

『더 머뭇거리다간 용심마단의 힘을 제대로 운용해 보지도 못한 채 저승으로 떠나게 될 것이다.』

사혁은 분한 표정으로 이를 빠드득 갈았다.

한데 그때.

광활한 숲 너머 멀리의 허공에 돌연 어마어마한 크기를 자랑하는 빛의 용이 빠르게 떠오르는 것이 보였다.

마치 천부의 용신을 연상시킬 만큼 실로 거대한 기운인데.

쿠구구구······ 쿠구구구구······.

먼 거리를 격해 전해져 오는 거센 진동.

일대 지면과 대기가 흔들리며 그 미증유의 힘을 경고해 온다.

순간 양 진영의 인원은 뭔가에 홀린 것처럼 일제히 손속을 멈추고 저편 하늘로 눈길을 던졌다.

예의 빛의 용은 바로 광해의 용신기였다.

사혁의 두 눈이 이내 찢어질 것처럼 한껏 커지고.

'아니! 저토록 커다란 광해의 용신기라니······ 설마 검무영의 것인가?'

먼 방향의 허공을 가득 메운 경이로운 기운이 곧 지상으로 떨어져 내리며 모습을 감추자 무수한 벼락이 한꺼번에 작렬하는 듯한 폭음이 터져 나왔다.

꽈아아아아아아아아앙!

뒤이어 방대한 먼지구름이 마구 치솟아 파란 하늘에 떠 있는 구름마저 완전히 가려 버렸다.

북리상이 엷은 미소를 머금으며 나지막한 목소리를 흘렸다.

"검 교두님께서 드디어 적진으로 가 출수를 행하신 모양이군."

그 말을 놓치지 않고 들은 사혁이 매서운 눈빛을 토하더니 몸 밖으로 흑색 기류를 내뿜었다.

츠츠츠츠츠—

용심마단의 힘을 개방한 것이다.

그것을 신호로 삼아 주변에 있던 용신부 무리 또한 누가 먼저라 할 것도 없이 시커먼 연기에 휩싸였다.

수마인과 비슷한 외형으로 변한 사혁이 길게 자란 송곳니를 드러내며 쇳소리 같은 카랑카랑한 목소리를 발했다.

"크르…… 이 싸움, 최대한 빨리 끝내 버리겠다!"

북리상은 차가운 설풍을 일으키더니 일언반구의 대꾸도 없이 지면을 박차고 돌진했다. 그에 사혁도 마주 빠르게 나아갔다.

두 초인은 날렵한 운신으로 간극을 좁히기가 무섭게 서로를 향해 검을 내뻗었다.

쩌어어어엉— 퍼어어어엉!

한편 다른 곳에 자리한 운몽향아는 일신에 보유한 절학을 연달아 펼치며 전장의 분위기를 압도해 나가는 중이었다.

"사, 살려 주……."

"끄아아아아……!"

"커허……!"

가공스러운 염열독공을 감당하지 못한 적 이백여 명은 그렇듯 저마다 괴로운 소리를 내뱉으며 목숨이 끊기고 말았다.

이어서 운몽향아가 마운파초선을 위로 번쩍 들자.

쿠구구구궁— 쿠구구구구궁—

우레와 같은 굉음이 일며 머리 위쪽의 허공이 투명하게 일그러지더니 거대한 파초선 형태의 기운이 번쩍번쩍 빛을 발했다.

앙천파초마선기가 위용을 드러내는 순간이다.

"잘 가렴."

속삭이듯 말한 그녀의 우수가 아래로 쾌속하게 떨어지자 허공의 앙천파초마선기도 지상에 어마어마한 그림자를 드리우며 적들 머리 위를 맹렬히 뒤덮었다.

콰콰콰콰콰콰쾅―!

앙천파초마선기의 육중한 힘에 짓눌린 적 수백 명은 납작한 육편으로 화해 피분수를 퍼뜨렸고, 반경 십 장의 지면이 아래로 움푹 꺼져 내리며 요란한 굉음을 연주했다.

운몽향아가 이내 고개를 돌려 주변을 살피나 싶더니 표홀한 신법을 펼쳐 적진의 한 인물 앞으로 가 섰다.

"호홋, 이제부터 저랑 신나게 겨뤄 보시는 게 어때요? 용신부의 추악한 어르신."

그 목소리가 향한 대상의 정체는 바로 홍간무황 진조였다.

"파초대마후라…… 허헛."

나지막한 소성을 발한 진조가 홍색 대나무로 만든 낚싯대를 어루만지더니 눈빛을 깊게 가라앉히며 다시 말을 이었다.

"치마 두른 계집 따위와 손속을 나누는 건 솔직히 영 내키지 않는 일인데, 끌."

그러자 운몽향아가 녹죽처럼 푸른 독기를 체외로 발산하며 고혹적인 미소를 그렸다.

"어머나, 착한 인상과 다르게 주둥이질이 자못 험하시군요. 제가 그 나쁜 입버릇을 고쳐 드릴게요."

진조의 허연 눈썹 아래 자리한 동공이 일순 이채를 발하더니.

펄럭—

일신을 두른 백포가 바람을 맞은 듯 나부낀다.

뒤이어 주름 잡힌 입술 사이로 나지막이 새어 나오는 가느다란 소성.

"후……."

동시에 온화하고 인자로운 표정과 어울리지 않는 지독한 투기와 살기가 그 신형을 중심으로 무형의 돌풍처럼 사납게 일어났다.

쿠쿠쿠쿠쿠, 쿠쿠쿠쿠쿠쿠—

체내의 고강한 공력을 이끌어 낸 영향으로 대기와 지면이 심한 진동을 발했고, 그 무형지기에 의해 시계 범위 내에 담겨 드는 주변의 모든 경물이 마구 구겨져 보였다.

황의 칭호를 거머쥔 초인답게 뭐라 형언하기 힘들 정도로 장중하기 짝이 없는 기도.

한층 선명한 미소를 머금은 진조가 곧 차분한 말투로 경고하기를.

"이 늙은 몸의 주둥이질이 자못 험했느냐? 하나 그것보다 더 험한 것이 바로 낚시질이거늘. 섣불리 덤볐다간 육신은 물론이고 혼백마저 무사하지 못할 것이야."

일백오십 년 전 강호 전체를 치마폭 아래 두었던 오대무후의 으뜸 파초대마후 운몽향아를 함부로 업신여길 수 있는 무인이 몇이나 될까.

그것은 옛 무림의 전설적인 존재이기에 가능한 발언이다.

관궁이 등장하기 오십 년 전쯤, 중원 무림의 권세를 섬맹과 정확히 반으로 쪼개 나눠 가진 시대의 주역이자 세상 그 어떤 칭호보다 높은 '황'으로 추존된 인물이라 예의 경고가 결코 허튼소리로 들리지 않는다.

진조가 자신의 별호를 상징하는 긴 낚싯대를 어루만지며 목소리를 이었다.

"내가 마음먹고 낚시질을 시작하면 네 살구색 옷 안의 몸뚱이는 조각조각 찢기고 말 것이야, 허헛."

홍색 대나무의 낚싯대, 이른바 '비천홍간(飛天紅竿)'이라는 절세의 신병이 어서 빨리 피를 뿌리고 싶다는 듯 가벼운 떨림을 자아냈다.

운몽향아가 생글생글 눈웃음을 치며 마운파초선을 살짝 흔들었다.

"흐응, 그렇듯 호언장담하시니 더욱더 궁금하네요. 대체 얼마나 험한 낚시질이려나?"

사내의 혼을 빼놓을 듯한 매혹적인 표정과 함께 진조의

그것에 못지않은 투기와 살기가 살구색 의복에 감싸인 교구 주위로 빠르게 번져 나온다.

쩌저적, 쩌적, 쩍, 쩌적―

그렇게 두 초인이 발산한 무형지기가 한데 마주치자 일대 지면이 균열을 일으키며 날카로운 신음을 토했다.

진조가 우수로 비천홍간을 움키더니 눈매를 가늘게 만들며 일렀다.

"내가 궁금한 건 오직 한 가지…… 네 고운 몸뚱이를 뜯어 먹으면 과연 어떤 맛일까, 오직 그뿐인 것을."

그러곤 연홍색 혀를 징그럽게 날름대는데.

질세라 운몽향아가 안광을 싸늘히 굳히며 입을 뗐다.

"이 후배의 부채질도 자못 험하답니다."

말이 끝나기가 무섭게.

팟!

땅을 찬 그녀는 순식간에 거리를 좁혀 상대 정면의 십 보 지척에 이르렀다.

쉬이이이이잉!

마운파초선이 횡으로 움직이며 거센 바람을 일으키자 녹색 독무가 드넓게 뿜어져 나오더니 수천 마리의 나비 형상으로 화했다.

일신의 독공 절학인 독운백접도.

진조가 그 가공스러운 기예에 맞서 비천홍간을 머리 위로 번쩍 들고 크게 한 바퀴 돌리자.

　취리리리리리리릭!

　예리한 음향을 토하는 낚싯줄의 궤적을 따라 초승달 같은 새하얀 예기가 전방을 향해 무수히 발출되었다.

　츄츄츄츄춧, 츄츄츄츄춧!

　홍간무황이란 별호를 상징하는 절학 천행무간법(天行武竿法)의 제삼초 초월난비광(初月亂飛光).

　거대한 녹색 독무를 이룬 수천 마리의 나비 떼와 초승달 모양의 수많은 백색 예기가 충돌하며 연속적인 굉음을 토하고.

　퍼퍼퍼퍼퍼펑, 퍼퍼퍼퍼펑, 퍼퍼퍼펑—!

　기파의 잔해인 백색 아지랑이와 녹색 아지랑이가 한데 뒤엉켜 대기 중으로 소멸한다.

　진조와 운몽향아는 그 잔영이 사라지기도 전에 이미 두 번째 손속을 뿌리는 중이었다.

　후우웅!

　횡단의 기세로 앞을 노려 큰 곡선을 그리는 마운파초선.

　신쾌한 그 움직임을 따라 마치 뱀을 닮은 짙푸른 독기 수백 가닥이 한데 진을 이루듯 커다랗게 꼬여 맹렬히 쏘아졌다.

파아아아아아아아아아—

독운백접도를 상회하는 독공 절학 독사군파상(毒蛇群波狀)이다.

진조가 휘두른 비천홍간도 상대의 힘에 뒤질 수 없다는 듯 전면에 커다란 원을 그리자 그로부터 둥근 방패처럼 생긴 흰 기운이 빙글빙글 돌며 곧게 뻗어 나갔다.

슈슈슈슈슈슈슈슈슛—

방어와 공격의 묘용을 동시에 발휘하는 상승 초식, 천행무간법 제육초인 일천백패회기공(日天白牌廻氣功)이었다.

단숨에 거리를 격해 부딪친 두 기운이 다시 한번 어마어마한 폭성을 터뜨리고.

꽈우우우우우우웅!

거센 반탄지력에 의해 진조와 운몽향아의 몸이 각기 이십 보 남짓한 후방으로 주르륵 밀렸다.

직후 탄식 비슷한 목소리가 낮게 새어 나오는데.

"허어……."

음성의 주인은 홍간무황 진조였다.

운몽향아가 이내 좌수로 머리칼을 쓸어 넘기곤 마운파초선을 가슴 앞쪽으로 세워 들며 엷은 미소를 그렸다.

"훗, 어때요? 이 어린 후배의 솜씨가 자못 마음에 드셨나요?"

한데 그때.

파파팟, 파파팟—!

백의를 두른 젊은 남녀 넷이 날렵한 운신으로 운몽향아의 등 뒤를 노려 왔다.

바로 강선림에 속한 무인들.

뒤이어 공기를 가르는 파공음이 날카롭게 터져 나온다.

쏴아아아— 쏴아아아앗—!

근거리로 육박한 강선림 무인 넷이 일제히 손을 내뻗어 내공을 실은 장력을 발출하는 소리였다.

그 순간.

피힛!

등을 보이고 있던 운몽향아가 순식간에 모습을 감췄고 일련의 장세는 허무히 빈 공간만 두드린 채 소멸하고 말았다.

순속비체술을 전개한 것이다.

별안간 강선림 무인들 뒤쪽으로부터 짤막한 전성이 들렸다.

『느려.』

화들짝 놀란 네 명이 신속히 신형을 뒤돌리려는 찰나 뭐라 형언하기 힘든 육중한 무형지기가 전신을 옥죄고.

"큭!"

"어흑!"

다들 그 엄청난 힘에 짓눌려 몸을 떨며 신음을 발한 때.

쉬이익!

마운파초선이 발출한 녹죽처럼 푸른 운무가 여인 둘을 감싸자 단번에 온몸의 살을 처참히 녹이며 저승으로 보내 버렸다.

무시무시한 염열독공에 이어.

스슷!

예의 무형지기에 짓눌려 몸을 떠는 두 청년 쪽으로 좌수를 뻗어 차례로 뺨을 빠르게 쓰다듬자 그들 몸이 급격히 사막의 나무처럼 버썩 말랐다.

털썩, 털썩……

물을 잔뜩 먹은 종이처럼 땅 위로 허물어져 눕는 시신들.

마치 목내이를 보는 것 같은 너무나 흉한 몰골이다.

"맛있네."

운몽향아가 흡정신요공으로 흡수한 정기를 음미하듯 나지막이 말한 순간.

취리리리릭!

지극히 가느다란 선이 쾌속하게 날아들었다.

비천홍간의 줄이다.

팟!

거리를 격한 낚싯줄이 새하얀 기파를 머금은 채 상대의 목을 노린 찰나 운몽향아의 모습이 눈 깜짝할 사이 자취를 감췄다.

팟!

재차 순속비체술을 펼친 것이다.

진조가 비천홍간을 빙글 돌려 낚싯줄을 회수하자마자 운몽향아가 그 좌측에 불쑥 나타나 마운파초선을 내리그었다. 그러자 진조의 머리 위와 신형 좌우 방향의 공간이 투명하게 뒤틀리며 빛을 발했다.

앙천파초마선기.

앞서 구사했던 것보다 크기는 작지만 세 방향을 동시에 노리고 드는 화려한 공세.

진조가 즉각 비천홍간을 휘두르자 가느다란 낚싯줄이 몸 주위를 감싸듯 맹렬히 회전해 백색 기류를 내뿜었다.

견고한 방어의 요체를 가진 천행무간법 제칠초 백운선회기(白雲旋回氣)였다.

쫘우우웅— 쫘우우우웅—!

귀청을 찢을 듯한 사나운 소리가 터져 나오고.

쫘지지지지직, 쫘지지지지지직……!

두 사람이 딛고 서 있는 자리를 중심으로 오 장 방원의 땅이 움푹 꺼져 내리며 뿌연 먼지구름이 치솟았다.

직후 운몽향아가 마운파초선을 위쪽으로 길게 획! 휘두르자 강대한 돌풍이 일어 시야에 가득 채운 홍진을 일시에 지워 버렸다.

진조는 어느새 일 장 밖의 거리로 몸을 빼 비천홍간의 기다란 대를 한쪽 어깨 위에 걸쳐 놓은 상태였다.

"핏빛 파초선을 든 절세의 미녀를 만나거든 무공을 논하지 마라. 허헛, 한때 그 말이 떠돌게 된 이유를 조금 알 것도 같구면."

"아잉, 너무 듣기 싫네요. 그렇듯 본색을 숨긴 가식적인 말투는…… 차라리 본 문의 개구쟁이 교관님처럼 솔직하고 일관성 있는 태도를 드러내는 게 훨씬 보기 좋답니다. 자꾸 그러시면 죽이는 재미가 반감되잖아요."

홀연 진조의 눈빛이 싸늘히 굳더니.

"쯧, 날 죽이는 재미라…… 이제 보니 주둥이질은 네가 더 험한 듯한데."

운몽향아가 선명한 미소를 지으며 상대의 말을 받았다.

"어머나, 그렇게 느끼셨어요? 죄송해서 어쩐담. 그렇지만 세상 누구보다 사랑하는 제 남편이 머물고 있는 소중한 본 문을 함부로 노리고 든 악적이니 계속 험한 말을 내뱉게 될 수도 있어요. 부디 양해 바랍니다, 호홋."

"후, 그래. 네 말마따나 헛된 가식은 버리도록 하마."

진조는 그 말이 끝나기가 무섭게 특유의 사람 좋은 미소를 조용히 지웠다.

　"본좌로 하여금 제오초 이상의 초식을 구사하게 만든 것은 칭찬해 주지. 서로 간을 보는 건 이쯤하고…… 지금부터 네 몸통을 갈기갈기 찢어 모조리 먹어 버릴 것이야."

　그는 곧 어깨 위에 걸쳐 놓았던 비천홍간을 지면을 향해 비스듬히 기울여 줘었다.

　치치치치칫, 치치치치치칫……!

　낚싯대에 이어 낚싯줄 전체가 백색 아지랑이를 퍼뜨리자 마치 수천 개의 칼날이 이 공간을 가득 메운 것 같은 느낌을 선사한다.

　질세라 운몽향아도 웃음기를 거두며 왼손으로 귀밑머리를 쓰다듬고 낮게 이르기를.

　"몸통을 갈기갈기 찢어? 아니, 그 정도로는 부족하지. 지금부터 최대한 고통스러운 죽음을 맞이하도록 해 줄게."

　어투가 완전히 바뀌었다.

　단지 듣는 것만으로 온몸의 털이 곤두설 만큼 몹시 지독한 살기가 담긴 목소리.

　뒤이어 운몽향아의 신체가 급속한 변화를 보이기 시작한다.

　스스스스스스…….

온통 푸른 색깔로 화한 머리칼과 피부, 그리고 어두운 기광이 일렁이는 눈동자, 바로 독공 최상위의 절기라는 십만살녹관음독체공이다.

그것을 본 진조가 입술을 열어 싸늘한 음성을 흘렸다.

"어리석군. 한 번 사용하는 것만으로 체내 공력을 절반 이상 소진한다던데…… 그 힘을 다 쓰고도 본좌를 무찌르지 못하면 그땐 어쩔 것이냐?"

조소의 빛이 가득한 동공.

그때 공포의 마녀처럼 변한 운몽향아가 혀를 날름거리더니 체외로 나선 형태의 독기를 가닥가닥 발출하며 말했다.

"지나치게 오랜 세월을 산 늙은이라 머리가 굳은 건지 참 멍청하네. 그것은 과거 시절의 이야기란다. 실망시켜 미안한데…… 난 청풍검문에 몸을 담은 이후로 여태껏 십만살녹관음독체공을 운용하며 삼 할 이상의 공력을 소모해 본 적이 단 한 번도 없어."

"……!"

"삼 할 이상의 공력을 발휘하면 과연 어떻게 될지 몸소 경험해 보렴."

운몽향아가 땅을 쾅! 박차더니 녹색 머리칼을 휘날리며 빛살처럼 빠르게 쏘아져 나갔다.

땅을 접듯 단번에 압축되는 거리.

십만살녹관음독체공을 운용한 운몽향아가 십 보 정면에
이르자마자 진조의 비천홍간이 앞으로 크게 휘어지며 예리
한 풍성을 연주했다.

쉬이이이이이이잉—!

빠르게 곡선을 그린 낚싯줄 끝의 갈고리 같은 바늘이 상
대의 목을 찌르고 든다. 그 중앙의 울대뼈를 꿰어 뜯을 듯
한 기세로.

하나.

핏!

일찰나에 허상처럼 사라져 버린 운몽향아.

예기를 머금은 낚싯바늘이 표적을 잃고 공허한 바람만
가른 순간 그녀는 이미 순속비체술로 진조의 우측 공간을
점하고 서며 좌장을 내뻗는 중이었다.

슈우웃—!

손바닥으로부터 발출된 짙푸른 독기가 묵직한 풍성을 토
한다.

옆구리를 노린 신쾌한 장세 앞에 진조는 흠칫 놀랄 새도
없이 낚싯줄을 회수함과 동시에 보법을 밟아 후퇴했다. 그
에 옷자락을 아슬아슬하게 스친 독기의 장력이 예의 지면
을 무참히 깨부쉈다.

퍼어엉— 꽈드드드득!

돌무더기와 흙바람이 뒤엉켜 허공으로 비산하는 가운데 독장(毒掌)이 적중한 지점의 바닥이 녹색으로 물들며 부글부글 들끓었다.

궁극에 이른 독성의 위력 탓이다.

'지독한 기운!'

내심 감탄한 진조는 거듭 보법을 밟아 뒤로 거리를 벌렸다.

질세라 운몽향아도 보법을 밟았다.

사사사사사사삿—

발바닥이 연속적으로 스치는 지면 위에 미세한 먼지조차 일지 않는 표홀한 운신.

경공의 최상승 공부 중 하나라는 답설무흔이다.

재차 땅을 접어 나가듯 급속도로 거리를 좁힌 그녀가 십 보 남짓한 간격을 두고 좌수와 우수를 나란히 놀렸다.

후우우우웅, 후우우우웅!

두 줄기 풍성과 함께 우수에 들린 마운파초선은 종단의 기세로 떨어져 내리며 칼날 형태의 독무를 발출했고, 앞을 향해 곧게 내뻗친 좌장은 바늘처럼 생긴 가느다란 독기를 무수히 토했다.

파초녹류독인(芭蕉綠流毒刃)과 쇄혼침독장(碎魂鍼毒掌)이라는 두 가지 독공 절예.

진조라고 가만히 있을 리 없다.

취리릭!

비천홍간의 늘씬한 대가 날카로운 소리를 내며 휘어지자 낚싯줄이 커다란 원을 그리며 흰 방패와 비슷한 기막을 생성했다.

슈슈슈슈슈슈슛—!

천행무간법 제칠초인 원형만공경막기(原形滿空勁幕氣)로 공격과 방어를 함께 행하는 제육초 일천백패회기공과 달리 오직 상대의 공세를 막는 데에 힘을 발휘하는 기예다.

긴 대와 줄을 감싼 백색 아지랑이가 한층 사납게 뻗쳐 나온 것으로 보아 앞서 있었던 몇 차례의 출수보다 훨씬 막대한 공력이 실린 듯했다.

순식간에 쇄도해 든 파초녹류독인과 쇄혼침독장이 그런 원형만공경막기의 번쩍이는 표면을 강타하자.

파하아아아아아아아앙—!

사나운 폭음이 터지며 흰 방패와 같은 기막 전체가 둥근 파문을 일으키며 흔들렸다.

"읏!"

진조의 짤막한 목소리.

고강한 충격력에 의해 그 상체가 뒤로 살짝 꺾였다.

방대한 기파의 잔해가 사위로 퍼져 나간 순간 운몽향아

의 모습은 온데간데없이 사라졌다.

'뒤!'

목덜미로 어떤 서늘함을 느낀 진조가 신속히 우측으로 운신하자 아니나 다를까 파초녹류독인이 간발의 차이로 떨어져 내려 지면을 쾅! 두드렸다.

쩌저저저저저저저저저—!

파초녹류독인이 적중한 곳으로부터 길고 깊은 금이 뻗어나와 전방 십 장가량의 땅을 갈랐다.

진조의 반응이 조금만 늦었어도 몸의 최고 급소인 뇌천이 충격을 받고 말았으리라.

순속비체술을 본격적으로 펼치기 시작한 운몽향아의 동작은 너무나도 빨랐다.

후우우우웅—!

등판을 노리고 날아드는 묵직한 기운.

파초녹류독인이다.

동공을 번뜩인 진조는 즉각 신형을 선회하며 비천홍간을 횡으로 그었다.

취리리리리릭!

예리한 선을 남기는 낚싯줄을 따라 장대한 칼날을 닮은 백색 기류가 발출되어 파초녹류독인과 강하게 맞부딪치고.

꽈우우우우우웅!

두 기예가 정면충돌한 여파로 주변 땅거죽이 일제히 휘말려 치솟으며 시야를 마구 어지럽힌다.

그에 뒤이어.

"흐으음!"

짤막한 소리를 내뱉은 진조가 이십 보 뒤로 미끄러지듯 후퇴했다.

놀란 심경을 방증하듯 눈동자가 투명하게 흔들린다.

'큭, 이런!'

의당 그럴 수밖에.

손속을 교환한 반탄지력에 의해 몸이 밀리다니, 과거 홍간무황이란 극상의 별호까지 얻었던 그로선 신선한 충격이었다.

앞서 삼 할 이상의 공력을 발휘할 거라더니 아마도 이 싸움을 서둘러 끝내 버릴 요량으로 최대 공력에 가까운 힘을 이끌어 낸 듯했다.

운몽향아의 모습은 그새 또 사라지고 없는데.

파아아아아아아아아아—

별안간 공기를 가르는 풍성, 그것을 앞지르는 쾌속한 공세.

이번엔 좌측이다.

진조는 잽싸게 허리를 비틀며 자신의 왼쪽으로 비천홍간

을 휘둘렀고, 그 궤적을 따라 백색 기류가 수백 갈래로 나뉘어 쏘아졌다.

피피피피핏, 피피피피핏―!

제십삼초 백기난사광묘(白氣亂射光描).

천행무간법의 최후 삼초식을 제외하면 가장 강력한 기예.

그렇게 운몽향아가 구사한 독사군파상과 진조의 백기난사광묘가 한 치의 양보도 없이 격돌하자 무수한 기파의 잔해와 더불어 대기를 뒤흔드는 파공음이 요란스레 울렸다.

퍼퍼퍼퍼펑, 퍼퍼퍼퍼퍼펑, 퍼퍼퍼퍼퍼퍼펑!

녹색 아지랑이와 백색 아지랑이가 충돌한 영향으로 물결처럼 먼지구름이 사위로 확! 퍼진 찰나.

"흠!"

진조가 다시 한번 두 발로 땅을 카가각! 긁으며 이십여 보 뒤쪽까지 빠르게 미끄러졌다.

바로 그때.

허공중으로 사라져 버린 백기난사광묘와 달리 독사군파상의 잔류 기운은 소멸하지 않고 그대로 순식간에 한데 뭉쳐 들더니 본 형태를 되찾았다.

파아아아아아아아아아―

뱀을 닮은 짙푸른 독기 수백 가닥이 재차 거대한 진을 이뤄 맹렬하게 나아간다.

흠칫 놀란 진조는 흔들린 신형을 수습할 틈도 없이 신속
히 우수의 비천홍간을 놀렸다.

취리리리릿— 슈슈슈슈슛—!

무려 칠 할 남짓한 공력을 발휘한 방어 초식 원형만공경
막기.

그렇지만 독사군파상이 쇄도하는 속도가 그보다 더 빨랐
다.

쫘우우우우웅……!

독사군파상 앞에 불완전한 상태의 원형만공경막기가 파
도처럼 크게 출렁이다가 곧 잘게 깨져 사방으로 흩어지고.

"커……."

낮은 신음을 발한 진조의 안색이 시뻘겋게 달아올랐다.
그와 동시에 양손의 살갗이 연한 녹색을 띠기 시작했다.

이유는 하나, 체내로 그만 소량의 독기가 침투한 것이다.

운몽향아는 어느새 십 보 내로 간극을 좁혀 고강한 출수
를 행했다.

쉬쉬쉬쉬쉬쉬쉬쉬—!

앞으로 세게 내뻗친 마운파초선을 따라 짙푸른 독기가
마치 와류를 일으키듯 쏟아져 나간다.

대녹와선독류(大綠渦旋毒流).

십만살녹관음독체공을 운용할 때만 시전할 수 있는 지고
한 독공 절예.

직후 귓전을 때리는 파공음이 터지고.

퍼어어어어어엉!

비천홍간을 휘둘러 가까스로 공세를 막은 진조의 신형이
바람에 날린 낙엽처럼 십여 보 뒤쪽으로 향하더니 한쪽 무
릎을 꿇었다. 그 충격의 영향으로 두 손을 푸르게 물들였던
중독의 빛이 어느덧 팔꿈치 부위까지 이르렀다. 또 심지어
살갗 일부엔 작은 기포가 방울방울 올라와 미약한 소리를
내며 찢겨 나갔다.

퍼걱, 퍼걱—

염열독공 고유의 힘이다.

게다가 그 상처 부위를 중심으로 피부마저 돌처럼 급속
도로 굳어 가기 시작했다.

석화의 묘용.

독향신마화 임려시애의 진전인 무독석화파멸공의 힘도
한꺼번에 운용한 것이다.

진조는 형언하기 힘들 정도로 지독한 통증을 느꼈지만
초인적인 심기를 발휘해 몸을 곧추세우곤 심하게 중독이
된 두 팔로 진기를 집중시켰다. 그러자 석화의 독성과 보기
흉한 기포가 말끔히 가라앉으며 녹색으로 물들었던 피부는

금세 본연의 색을 찾았다.

일신의 초절한 내공 수위로 예의 독성을 가까스로 씻어 없앤 것. 그 덕분에 상당량의 진기를 소진하고 말았다.

곧장 분노의 반격이 이어지고.

쳐리리리리리리리릿!

새하얀 기류에 휩싸인 채 거리를 격해 나아가는 낚싯줄, 그 끝에 매달린 바늘이 상대의 왼쪽 어깨를 매섭게 노리고 든다.

하나 운몽향아는 상체를 살짝 비틀어 바늘을 피하더니 좌수로 그 낚싯줄을 덥석! 움켰다.

순간 진조의 입가로 번지는 조소.

'어리석은, 그것을 맨손으로 잡으면…… 음?'

그의 안색이 갑자기 일변했다.

푸스슷…… 핑—

한 줄기 음향과 함께 그녀 손아귀의 낚싯줄이 순식간에 녹으며 뚝 끊겨 버린 까닭이다.

툭.

낚싯바늘이 지면에 떨어지기가 무섭게 운몽향아가 순속 비체술로 간극을 압축해 극성 공력의 앙천파초마선기를 구사했다.

쿠아아아아아아아아—

빛나는 파초선 형태의 거대 기류가 육중한 압력으로 진조를 향해 강하게 떨어져 내린 순간.

파파파팟, 파파파파팟, 파파파팟!

백의를 걸친 수십 명의 남녀가 신쾌한 운신으로 불쑥 나타나 진조의 앞을 병풍처럼 엄호했다.

다름 아닌 강선림에 속한 정예 무인들.

퍼어어어어어어어엉— 꽈과과과과과과광!

천지가 무너지는 듯한 폭성과 굉음이 사방에 메아리쳤고 예의 강선림 무리는 모조리 석화가 된 채로 가루처럼 부서져 이승의 삶을 마감했다.

방대한 먼지구름이 하늘 높이 치솟는 가운데 운몽향아가 눈매를 가늘게 좁히며 전성을 발했다.

『이번 일수로 끝내려 했는데 수하들 덕분에 목숨을 건졌구나.』

그 순간.

강선림의 무인 이십여 명이 재차 등 뒤쪽으로 기습을 가해 왔다.

하나 운몽향아는 고개조차 돌리지 않은 채 싸늘한 비소를 머금었다.

뒤이어 날카롭게 터져 나오는 기이한 음향.

파츠츠츠츳, 파츠츠츳, 파츠츠츠츠츳—!

체외로 가닥가닥 발출되어 있던 나선 형태의 독기 전부
가 급격히 늘어나 강선림 무인 이십여 명의 몸통을 일시에
꿰뚫었다.

"끄……!"

"으아악!"

"커허!"

연속적인 비명.

동시에 몸통을 꿰뚫린 인원 중 절반은 전신이 흐물흐물
녹아 푸른 즙처럼 변해 숨이 끊겼고, 나머지 절반은 석상으
로 화하자마자 폭발을 일으키며 미세한 가루가 되어 죽었
다.

그때.

전방의 먼지가 자욱한 너머로부터 또렷한 소성이 새어
나왔다.

"크큿."

뭐랄까, 마치 수마인의 괴성처럼 듣기 거북한 목소리인
데.

아니나 다를까 거센 돌풍이 일며 시계를 흐리던 홍진이
일시에 날려 사라지자 진조의 모습이 비로소 드러났다.

시커멓게 물든 피부와 핏물에 흠뻑 젖은 듯한 눈동자, 그
리고 이마 중앙에 내돋친 아주 작은 뿔…… 변화한 특징은

그것뿐, 용심마단을 복용한 여느 무리와 다르게 짐승과 같은 외형이 아니었다.

"네까짓 게 감히 나로 하여금 이 모습으로 변하게 하다니…… 참으로 안타깝게도 네 극성의 공력은 결국 나를 넘어서지 못하는구나."

진조의 말에 낯빛을 굳힌 운몽향아가 순속비체술로 움직이려는 찰나.

쫘직—!

땅을 부수고 돌진한 진조가 비천홍간을 내뻗자 엄청난 크기의 백색 기류가 화살처럼 맹렬히 발출되었다.

콰아아아아아아아아—!

흠칫한 운몽향아는 즉각 몸을 옆으로 옮겼고 그 거대한 화살 같은 백색 기파는 옆구리 위를 스치듯 지나쳤다.

후두둑…….

붉은 선혈 방울이 지면 위를 가볍게 두드렸다.

운몽향아의 피였다.

예의 강맹한 공세 앞에 자그마한 상처를 입은 것이다.

회피 동작이 조금만 늦었다면 옆구리 살이 뭉텅 떨어져 나갔을 게 분명했다.

핏—!

순속비체술을 이용해 뒤로 멀찍이 선 그녀의 동공이 돌

연 금빛처럼 찬란한 광채를 내뿜었다.

이어서 전성으로 이르기를.

『뒤에 숨어 있을 수마인 무리가 나타날 때까지 이 비기를 가급적 꺼내 보이고 싶지 않았는데.』

第三章
접입가경(漸入佳境)

진조는 지면을 박차고 돌진하려던 발동작을 멈칫했다.

'비기?'

시뻘건 눈동자 위로 투명하게 번지는 작은 파문.

이것은 미처 예상치 못한 상황이다.

운몽향아가 설마 독향신마화 임려시애의 진전인 무독석화파멸공 외에 또 하나의 수를 감추고 있을 줄은 몰랐다.

그때.

고오오오오오……

금빛 안광을 발한 운몽향아의 기도가 마치 심해처럼 한없이 깊고 어둡게 가라앉는 듯한 느낌을 선사해 왔다. 그러더니 몸 주위에 가닥가닥 내뻗친 나선 형태의 녹색 독기가 돌연 분홍 빛깔을 띠며 연기로 바뀌었다.

슈슈슈슈, 슈슈슈슈슈—

분홍빛 안개를 닮은 독성의 기류가 그 요염한 교구를 휘감기가 무섭게 마운파초선이 미약한 떨림을 발하며 갑작스런 변형을 일으키는데.

스스스스스스!

마운파초선의 양쪽에 있는 파초 잎 형태의 부채 날개는 빠른 속도로 두 배 가까이 커졌고 중심을 이루고 있는 긴 손잡이도 덩달아 급격히 늘어나 무려 오 척에 육박할 정도가 되었다.

동시에 거센 진동을 일으키며 어지러이 금을 그리는 지면.

드드드드드, 쩌쩌쩌쩌쩍—!

일신의 공력이 가파르게 증가하고 있음을 대변하는 현상이다.

직후 운몽향아의 길고 푸른 머리칼이 몸을 감싼 독기와 매한가지로 분홍빛을 띠며 마치 바다 속의 해초인 양 하늘하늘 떠올라 흔들렸고, 푸르던 피부도 동일한 색으로 화했다.

이렇듯 운몽향아의 외형은 예의 색채로 말미암아 복사꽃

향이 퍼져 나오는 듯한 느낌마저 들었다. 뭔가 기묘함과 화사함이 한데 섞여 나오는 것 같은 신비로운 자태였다.

진조의 얼굴 위로 이내 징그러운 미소가 맺혀 든다.

"후……."

호기심의 빛이 가득 흐르는 눈동자.

현재 운몽향아가 이끌어 낸 새로운 비기의 힘이 호락호락하지 않으리란 생각에 호승지심이 고개를 든 까닭이다.

심중을 방증하듯 비천홍간을 움킨 시커먼 손등 위로 굵은 핏대가 불뚝불뚝 솟았다.

'파초대마후…… 그래, 내 판단이 섣불렀군. 그 별호의 무게를 내 너무 가벼이 여겼느니라. 넌 확실히 진력을 발휘해 죽일 가치가 있는 계집이다. 만년한철의 강도와 맞먹는 천령사(天靈絲)를 붙잡아 끊어 버린 것만 보더라도…….'

실지 여느 고수라면 비천홍간의 줄을 이루는 천령사를 손으로 붙잡는 순간 그대로 다섯 손가락이 뭉텅 잘리고 말았으리라. 그만큼 인세에 보기 드문 신물인데 운몽향아는 아무런 상처도 입지 않았다.

그것은 일시적으로 엄청난 공력을 발휘했기에 가능한 일. 다시 말해 내공 수위가 여느 고수를 까마득히 웃도는 경지에 올랐기에 가능한 일이었다.

짙은 살기가 감도는 진조의 핏빛 눈동자가 강렬하게 번

뜩이자마자.

퍼퍽, 퍽, 퍼퍽……!

두 발로 딛고 선 자리의 주변 땅이 큰 폭으로 흔들리더니 돌무더기가 뭉쳐 비산한다.

뒤이어 전성을 발해 묻기를.

『짐작건대 그것은 십만살녹관음독체공 위에 독향신마화가 남긴 모종의 심법을 기반으로 한 상승 요체를 덧보태 창안해 낸 기예일 터.』

온통 분홍빛으로 물든 운몽향아가 긴 머리칼을 하늘거리며 나지막한 전성을 울렸다.

『개화극독요신공(開花劇毒妖神功). 어때, 꽃을 두른 여신처럼 일련의 색채가 참 예쁘지?』

그러자 진조가 입꼬리를 씰룩 올리며 앞을 향해 저벅저벅 걸음을 옮겼다.

『홋, 아름답구나. 하나 본좌의 손에 의해 무참히 꺾여 버릴 여린 꽃에 불과한 것을.』

그의 시선이 곧 거리를 격해 상대의 우측 옆구리에 난 상처 위로 가 머물렀다.

'어느새 출혈이 멎었군. 개화극독요신공의 영향인가? 홋, 아무래도 상관없다. 만약 서로 동등한 힘이라면 그 작은 상처 하나가 승패를 가르는 결정적 요인으로 작용할 테

니까.'

그러곤 발걸음을 떼는 와중에 좌수를 움직여 품속에 있던 여분의 낚싯바늘을 꺼내 천령사 끝에 매달았다.

『용심마단의 힘을 이끌어 낸 이상 천령사를 재차 손으로 끊어 버리기는 어려울 것이야. 부디 그 몸이나 잘 지키거라.』

진조의 호기로운 전성에 엷은 웃음기를 머금은 운몽향아도 마주 나아가며 금빛으로 물든 안광을 한층 사납게 폭사했다.

『가장 아름다운 것이 가장 위험하다는 말, 그 의미를 뼛속 깊이 절감하게끔 해 줄게.』

한데 무슨 이유일까.

분홍색 옥용 위로 잠시간 음울한 기색이 떠올랐다가 행여 누가 볼 새라 자취를 감췄다.

꾸드득—

마찰음이 새어 나올 정도로 마운파초선의 대를 힘껏 검쥐는 손.

한 사내의 얼굴이 머릿속에 선명히 떠오른다.

오랜 세월이 지나 새로이 몸과 마음을 바쳐 사랑하게 된 사람, 바로 마봉이다.

'실은 당신께 미처 밝히지 못한 게 있어요. 이 지독한 힘

을 운용한 순간부터 제 몸은……'

하나 상념을 끝맺지 못했다.

쾅!

진조가 두 발로 지면을 부수며 신쾌한 돌진을 시작했기 때문이다.

질세라 운몽향아도 발바닥의 용천혈로 고강한 내기를 폭사하고.

파파파파파파파파—!

쾌속하게 운신해 상대와 이십 보 거리가 된 찰나 우수에 들린 거대한 마운파초선을 맹렬한 기세로 내리그었다.

슈아아아아앗— 츄츄츄츄츄츄—!

사나운 파공음과 더불어 연홍색 독기가 바람에 날린 무수한 꽃잎처럼 전방으로 휘몰아쳤다.

진조도 그에 맞서 비천홍간을 신속히 내뻗는데.

취리리리리리릿!

날카로운 음향과 함께 천령사가 빙글빙글 회전하며 원형의 기파를 연속적으로 발출했다.

원공신멸반(圓空神滅盤).

천행무간법의 최후 삼초식 중 하나.

그렇게 간극을 압축해 나간 서로의 초식이 맞부딪치자 일대 공간을 통째로 뒤집어엎을 듯한 어마어마한 폭성이 터져 나왔다.

꽈과과과과과과과과광—!

초식의 격돌이 만들어 낸 기파의 잔해가 흡사 해일처럼 허공중으로 번져 나간 찰나 운몽향아가 입을 크게 벌렸다.

쉬쉬쉬쉬쉬쉬쉬쉬—!

나지막한 풍성을 연주하며 입 밖으로 발출된 분홍색 독무가 그대로 길게 뻗어 나가 상대의 정면을 노려 간다.

동시에 진조의 비천홍간도 급격히 휘어지며 한층 커다란 원공신멸반을 쏘아 보냈다.

이십 보 거리를 격해 맞부딪치는 극독의 기운과 원형의 기파.

퍼퍼퍼퍼퍼펑, 퍼퍼퍼퍼퍼퍼펑!

양보 없는 충돌 앞에 귀청을 찢어 버릴 듯한 굉음이 재차 사방 공간을 크게 떨쳐 울렸다.

같은 시각.

관궁은 체외로 어두운 마기를 무럭무럭 퍼뜨리며 고유의 절륜한 쾌검술을 쉬지 않고 뿌렸다.

채챙, 챙, 채챙— 쩌정, 쩌저정—!

연속적으로 튀는 불똥과 따가운 쇳소리.

은암권황 엄언이 두 손에 낀 신물 은혼갑(銀魂甲)과 관궁의 우수에 들린 신물 광속신황검이 맹렬한 기세로 마주할 때마다 금속성이 쉴 새 없이 새어 나온다.

그러던 어느 순간.

파팟!

엄언이 두 다리를 빠르게 교차해 질풍처럼 앞을 노려 갔다.

과거 은봉권문의 대표 보법인 은영밀보(銀影密步).

잔상조차 보이지 않을 만큼 은밀한 묘용을 발해 단숨에 간극을 좁힌 그가 우권을 내질렀다.

즉각 반응한 관궁도 검극을 세게 뻗었다.

까아아아아아앙— 쿠아아아아아앙!

장갑과 검극이 만나며 거대한 아지랑이가 허공으로 화아악! 번지고.

관궁은 일순 주변 공기가 형언하기 힘들 정도로 무겁게 가라앉는 듯한 기분을 느꼈다.

사위로 넓게 퍼져 나간 기파의 잔해가 채 사라지기도 전에 엄언의 좌권이 다시 바람을 갈랐다.

후우우우우우웅!

우측 옆구리를 노린 육중한 일권.

관궁은 잽싸게 광속신황검을 비스듬히 기울여 예의 공세를 방어했다.

콰차앙— 퍼어엉……!

강맹한 주먹질에 의해 관궁의 신형이 옆쪽으로 주르륵 밀렸다.

"큼!"

관궁은 짤막한 소리와 동시에 표홀한 보법을 밟아 십 보 밖 거리로 가 자리했다.

하나 엄언은 잠깐 숨 돌릴 여유조차 주지 않고 운신을 전개했다.

꽈직!

땅을 박차고 급속도로 간극을 압축하는 신형.

상대의 정면으로 육박한 엄언의 두 주먹이 깃털처럼 상하로 부드러운 원을 그리며 무시무시한 경력을 토한다.

콰아아아아아— 콰아아아아아아—

언뜻 ·보기엔 가볍고 단순한 변화 같으나 육안을 속이는 신묘한 흐름과 가공스러운 힘이 숨어 있다.

흠칫한 관궁은 잿빛 마기를 한층 크게 폭사하며 횡단의 기세로 검을 놀려 맞섰다.

그렇게 권경과 검기가 한데 마주치자.

콰르르르르르르르릉!

엄청난 굉음과 더불어 반경 십여 장의 지면이 화탄에 의해 폭발하듯 마구 갈라져 터졌고, 방대한 먼지구름이 솟구쳐 일대 허공을 자욱이 가려 버렸다.

지이이이이이익······.

관궁은 반탄지력에 의해 발바닥으로 지면을 긁으며 무려 삼 장 뒤로 밀려났다.

손목과 팔로 엄습해 드는 저릿저릿한 통증.

'쌍!'

속으로 신경질적인 목소리를 내뱉은 관궁이 눈살을 구기 며 칼날로 거듭 진기를 주입했다.

지이이이이잉—

주인의 투지에 감응한 듯 세찬 떨림을 발하는 광속신황 검 주위로 어두운 마기와 새하얀 기류가 뒤섞여 춤을 춘다.

과거 검무영의 스승인 검룡제의 가르침을 통해 진화한 절초 광속검선을 시전하려는 것이다.

드드드드드드드드드!

관궁이 발산한 강대한 무형지기로 인해 주변 지면이 흔 들림을 자아낸 순간.

엄언이 뿌연 먼지가 가득한 공간을 헤치고 나오며 우권 을 내질렀다.

콰아아아아아아아아아—!

앞서 구사한 권경을 능가하는 힘이 담긴 듯하다.

질세라 관궁도 이를 꽉 깨물며 상대의 고강한 공세를 향 해 광속신황검을 뻗었다.

슈아아아아아아아아아아—!

공간을 통째로 뚫어 버릴 것만 같은 쾌속의 검기와 시야에 담기는 모든 걸 쇄파해 버릴 것만 같은 권경이 충돌하며 다시 한 번 요란한 폭성의 메아리를 울린다.

꽈과과과과과광!

직후 관궁의 신형이 뒤로 세게 튕겨 나가더니 커다란 나무에 등판을 들이받았다.

와지끈.

비명을 지른 고목이 뒤로 부서져 넘어가고.

"제기……."

나지막한 음성을 내뱉은 관궁이 소맷자락으로 입가를 훑었다. 그러자 붉은 혈흔이 그 천 위로 짙게 묻어났다.

상대의 힘 앞에 그만 체내 기혈이 흔들린 것이다.

그때 엄언이 저벅저벅 걸음을 옮기며 체외로 방대한 기파를 퍼뜨렸다.

"사종검황…… 그 별호는 네게 과분하구나."

그러자 관궁이 얼른 균형을 잡고 서며 입매를 씰룩 비틀었다.

"완전히 피하지도 못한 새끼가 잘난 척은, 크큭."

그 말마따나 그랬다.

상대는 방금 전 자신이 구사한 광속검선에 의해 왼쪽 어깨에 가느다란 검상을 입은 상태였다.

걸음을 떼던 엄언이 무표정하게 말하기를.

"고작 이것으로 만족하는 것이냐?"

한데 그 순간.

ㅊㅊㅊㅊ…….

관궁의 체외를 감싼 잿빛 마기가 어떤 기이한 모양으로 변하기 시작했다.

＊　　　＊　　　＊

청풍표국을 비롯해 사천 지역 내 정파, 사파의 주요 무문이 연합한 정예 전력과 용심마단의 힘을 개방한 용신부 무리의 일전은 어느덧 종막으로 치닫는 중이었다.

채채채채챙, 퍼퍼퍼퍼펑, 키키키키킹, 콰콰콰콰쾅—!

따가운 금속성과 요란한 파공음이 한데 섞여 장내에 울려 퍼지는 가운데 검륜수사 백리대약과 승천무장 역류흔은 시종일관 절륜한 무위를 펼쳐 보이며 쇄도해 드는 적을 압도했다.

쐐애애액!

역류흔이 힘차게 뿌린 쾌속의 검기가 십 보 앞의 상대 가슴팍을 노려 쏘아지자.

퍼엉, 푸하악……!

섬뜩한 음향과 동시에 자룡대 소속 검수가 명치를 무참히 꿰뚫린 채 핏물 흥건한 바닥 위로 힘없이 쓰러져 누웠다.

직후.

지이이이잉—

대천숭검장주의 위를 상징하는 비취보검이 세찬 떨림을 일으키며 서늘한 예기를 발산했다.

사문의 고절한 무학인 치천사인검법 내 최후 사초식의 일초를 전개하기 위해 하단전을 한층 빠르게 돌려 칼날로 막대한 내력을 주입한 까닭이다.

뒤이어 역류흔이 딛고 선 주변의 지면까지 강한 진동에 휩싸이고.

드드드드드드드……!

그때 체외로 시커먼 기류를 퍼뜨리는 자룡검대원 넷이 각기 전후좌우로 쇄도해 들었다.

파파파파, 파파파파—!

두 눈을 번뜩인 역류흔은 신형을 빠르게 회전하며 우수에 움킨 비취보검을 크게 휘둘렀다. 그러자 그 동작을 따라 횡으로 큰 원을 그린 검날로부터 새하얀 검기가 흡사 거대한 파문처럼 사위로 둥글게 뻗어 나갔다.

좌좌좌좌좌좌좌좌!

최후 사초식의 하나인 기천작참검(欺天斫斬劍).

단숨에 사위로 뻗어 나간 절초의 검기는 자룡대원 넷의 허리를 그대로 양단해 버렸고 절단 부위로부터 시뻘건 피분수가 높이 솟구쳤다.

거듭 손에 들린 칼로 내력을 주입한 역류흔은 강력한 검세를 멈추지 않았다.

쐐액, 쐐애액!

잇달아 예리한 소리를 토한 두 번의 검초 앞에 난폭한 기세로 접근하던 적 여섯 명이 다시금 작두질을 당한 듯 허리가 싹둑 잘려 나가며 비릿한 혈향을 퍼뜨린다.

주변의 적은 저마다 한층 광분해 뾰족한 송곳니를 드러내며 맹렬히 돌진해 들었다.

"캭!"

"크흥!"

이성을 상실한 양 흉맹하기 짝이 없는 괴성들.

이십여 명의 자룡대원은 십 보 남짓한 자리에 도달하자마자 상대의 정면을 노려 멸절의 용신기를 발출했다.

슈아앗, 슈아아아앗, 슈아아앗, 슈아앗—!

역류흔은 숨 돌릴 틈조차 없이 극성 공력을 발휘한 절초로 맞섰다.

울근불근한 근육질의 팔이 신속히 전방으로 쭉 내뻗치
자.

촤아아아아아아아아—!

비취보검 끝에 맺힌 커다란 구체 형태의 검기가 폭발하
더니 무수한 빛살을 사납게 퍼부었다.

관천폭검우.

치천사인검법의 최후 사초식이자 가장 즐겨 구사하는 쾌
검의 초식.

퍼버버버버벙, 퍼버버버버버벙!

서로의 공세가 격돌하며 투명한 아지랑이가 사위로 번져
나간 찰나 역류흔은 이미 다음 검초를 뿌리고 있었다.

스파아앗!

어마어마한 곡선의 검기가 공기를 가르는 파공음을 앞질
러 간극을 압축해 나아갔다. 말 그대로 눈 깜빡할 사이에
전개된 횡단의 참격이었다.

자룡대 검수 일동은 가슴 앞쪽으로 검을 곧게 세워 들며
방어 자세를 취했지만 그 힘을 막기엔 역부족이었다.

꽈자자자자자자작— 푸하아아아아아악!

최대 공력을 발휘한 참격의 검기는 자룡대 검수들 칼을
처참히 깨부쉈고 전원의 몸뚱이마저 깨끗이 갈라 버렸다.

방금 역류흔이 시전한 것은 치천사인검법 최후 사초식

중 가장 강력한 검초 단천멸혼참으로 명색이 존자 반열의 쾌검수답게 예의 일초에 실린 검력이 실로 무시무시한 수준이었다.

기실 청풍표국에 몸담으며 새로운 깨달음을 얻어 기존의 무력이 더욱 진일보한 것이다.

별안간 등 뒤로부터.

"카학!"

쇳소리 비슷한 괴성을 토한 자룡대장이 핏빛 눈동자를 한껏 부릅뜬 채 사나운 기세로 바짝 육박해 들며 멸절의 용신기를 구사했다.

동시에.

스슷.

역류흔이 날렵한 보법을 밟아 멸절의 용신기를 회피하더니 어느새 상대의 좌측을 점하고 섰다.

스파앗―!

단천멸혼참이 재차 그 파공음을 앞지른 순간 괴로운 비명이 터져 나왔다.

"끄악!"

털퍼덕⋯⋯.

신쾌한 참격에 의해 자룡대장의 우수가 절단되어 땅 위로 떨어졌고 그의 신형은 중심을 잃으며 쓰러지듯 왼쪽 무릎을 꿇고 앉았다.

"으……."

뭉텅 잘려 나간 손은 물론이고 입가에도 시뻘건 선혈 줄기가 주르륵 흘렀다.

외상을 통해 체내로 깃든 상대의 기운이 주요 기혈을 강하게 헝클어 놓은 데다 심맥까지 마구 흔들리게 해 큰 내상을 입힌 것이다.

살기 가득한 동공을 빛낸 역류흔은 머뭇거리지 않고 즉각 죽음의 단죄를 내렸다.

쐐애액, 츄아앗!

공기를 매섭게 가르며 떨어져 내린 칼날이 목을 가르고 지나가자 자룡대장의 머리가 역겨운 핏방울을 흩뿌리며 지면을 나뒹굴었다. 그의 최후로 말미암아 자룡대는 단 한 명의 생존자도 없이 전멸을 당하고 말았다.

백리대약 또한 그동안 깨달은 상승 공부를 바탕으로 맹위를 떨치며 빠른 속도로 적을 쓰러뜨려 나가는 중이었다.

슈우욱, 슈우우욱, 슈욱!

삼백여 년 전, 강호 최고의 검수 중 한 명으로 명성을 떨쳤던 조사 검군자의 신물 부용성군검이 날카로운 궤적을 그릴 때마다 남룡대원들 몸이 핏물을 내뿜으며 맥없이 널브러졌다.

"컥!"

"아악!"

"끄!"

극성 공력을 이끌어 낸 백리대약의 검세는 가히 거침이 없었다.

'악적한테 자비를 베풀 생각은 없다!'

그는 고작 숨 몇 번 쉴 동안 십여 명의 남룡대원을 추가로 참살한 후 신형을 날려 멀지 않은 곳에 있는 남룡대장을 노려 갔다.

푸학, 푸학!

남룡대장의 강맹한 칼질 앞에 사천성 성파 협회의 핵심 전력인 의검조 검수 열 명은 가슴팍이 무참히 갈린 채 목숨을 잃었다.

바로 그때.

'어딜!'

등 뒤로 쇄도하는 기척을 느낀 남룡대장은 신형을 뒤돌리며 검극을 신속히 내찔렀다.

쉬쉬쉬쉬쉬쉬쉭—!

검기를 쪼개 날리는 찬섬의 용신기.

가시 돋친 몸을 가진 용의 형상이 순식간에 수십 갈래로 나뉘어 미세한 검기로 화해 나아가자 이십 보 남짓한 거리로 접근한 백리대약도 질세라 부용성군검을 놀렸다.

앞으로 직선을 그리는 예리한 칼, 그리고 그 늘씬한 나신을 따라 화려히 뿜어져 나오는 부용 꽃잎 형태 기파.

츄츄츄츄츄츄츄츄!

무수한 부용화(芙蓉花)가 마치 거대한 회오리인 양 빠르게 맴돌며 찬섬의 용신기와 맞부딪쳤다.

퍼퍼퍼퍼펑, 퍼퍼퍼펑, 퍼퍼퍼퍼펑……!

귓전을 사납게 때리는 일련의 굉음에 이어 두 검력이 충돌한 여파로 방대한 기의 잔해가 물결처럼 시야를 어지럽혔다.

"큭!"

짤막한 외침을 발한 남룡대장은 검세를 교환한 반탄지력에 의해 일 장 가까이를 후퇴해 섰다.

이내 흉중으로 묵직한 기운이 엄습하는데.

"웨엑……!"

인상을 찡그린 남룡대장은 상체를 급격히 숙이며 피를 토했다.

방금 백리대약이 구사한 것은 검군자가 남긴 명정심로 검식 종장의 절초 중 하나인 상천부용검무(上天芙蓉劍舞)로 그 초식에 담긴 검력을 제대로 버티지 못한 것이다

'제기랄……! 본 대도 어느덧…….'

남룡대장은 큰 내상으로 괴로운 와중에 눈알을 굴려 주변 상황을 살폈다.

현재 자신이 이끄는 남룡대의 잔여 전력은 사십여 명에 불과했고 그 인원 역시도 일류 고수진 합격을 받으며 차례차례 목숨이 끊겨 나가는 중이었다.

'우리가…… 강호 무림의 힘을 너무 얕본 것인가! 크흑, 무엇보다…… 청풍표국의 전력이 이 정도로 견고할 줄은…….'

그때.

콰르르르르릉!

사방 공간에 메아리치는 굉음.

어느덧 남룡대장의 정면 십 보 거리에 접근해 선 백리대약이 체외로 발산한 강대한 무형지기가 주변 대기를 뒤흔드는 소리였다.

드드드드드, 드드드드드…….

방원 오 장의 지면이 큰 떨림을 자아내는 가운데 백리대약의 우수가 머리 위로 번쩍 들렸다.

"이만 저승으로 가 죄업을 깊이 반성하거라."

그렇듯 엄중한 목소리를 내뱉은 백리대약의 부용성군검 칼날 주위로 커다란 부용화 형상의 기파를 춤을 추듯 빙글빙글 빠르게 맴돌았다.

슈슈슈슈, 슈슈슈슈…….

그것은 명정십로검식 종장 내의 다른 절초 회행광명검화영(回行光明劍花影)의 고유 현상이었다.

질세라 남룡대장이 양 어깨를 짓누르는 육중한 압력을 가까스로 벗겨 내며 지면을 차고 간격을 뒤로 벌리더니 두 눈을 부라린 채 신형을 감싼 시커먼 기류를 한층 크게 폭사했다.

'놈…… 끝을 보자!'

죽음을 예감한 마지막 발악이다.

이어지는 찬섬의 용신기.

쉬쉬쉬쉬쉬쉬쉭—!

가시 돋친 몸을 가진 용 형상의 기운이 순식간에 여러 갈래로 나뉘어 거리를 격해 나아간 순간 백리대약도 위로 든 부용성군검을 빠르게 내리그었다.

슈우우우욱— 콰콰콰콰콰—!

수직으로 떨어져 내린 칼날의 선을 따라 정면으로 발출된 회행광명검화영은 그대로 찬섬의 용신기를 쇄파하곤 남룡대장을 맹렬히 휘감아 버렸다.

퍼걱, 퍼거걱, 푸학, 푸하학…….

살덩이가 연속적으로 썰리는 끔찍한 음향이 짧게 이어지더니.

툭, 투둑, 툭, 투두둑.

팔과 다리를 비롯해 온몸이 잘게 잘린 남룡대장의 시신 파편이 땅 위로 떨어져 미약한 소리를 울렸다.

"후우."

비로소 숨기를 고른 백리대약은 고개를 돌려 저편을 바라보았다. 그러곤 속으로 감탄 섞인 말을 중얼거렸다.

'과연 국주님…….'

눈동자에 담겨 든 인물은 청풍표국주 혈수검왕 신율이었다.

현재 그는 이곳 적진의 최고수인 북룡정 태을검공 가허를 상대로 무시무시한 검력을 연거푸 토하며 승기를 잡아 나가는 중이었다.

쩌어어어엉, 퍼어어어엉!

경쾌한 금속성과 파공음이 울리기가 무섭게 가허의 신형이 후방으로 튕겨 나갔다.

"크……."

나지막한 신음을 흘리는 그.

떨그렁—

내상을 더 참지 못하고 검을 놓은 그 시뻘건 눈동자에 불신의 빛이 가득 스민다.

'내 어찌 혈수검왕 따위한테…….'

신율이 이내 승천검랑 누인의 신물 승화신검을 가슴 앞으로 곧게 세우며 근엄한 음성을 내뱉었다.

"용신부는 반드시 패망한다. 지옥에 가서 마저 구경하거라."

웅웅웅웅웅—

승화신검이 그런 주인의 의지를 읽은 듯 세찬 경련을 발하자.

콰아아아아아, 콰아아아아아아—!

투명한 경기의 파도가 칼날을 따라 사납게 일더니 이내 손의 움직임을 따라 전방으로 쏘아졌고, 남룡대장을 덮쳐 그 존재를 흔적조차 없이 지워 버렸다.

스스스스스스스……

바람결에 날린 미세한 먼지처럼 허무히 소멸하는 전대 초인의 신형.

과거 태을검공이란 별호를 얻으며 천중팔절의 일인으로 위명을 떨쳤던 가허는 그렇게 무거운 죄업을 등에 지고서 먼 저승길로 향했다.

어디 일각이나 버틸 수 있으랴.

가허는 본격적으로 검을 교환하기에 앞서 그리 외쳤다. 하지만 신율은 보란 듯이 가공스러운 검력을 발휘하여 그 광오한 호기를 무참히 짓밟아 뭉개고 말았다.

용정 반열 강자의 죽음으로 말미암아 용신부 무리는 이제 전세를 뒤집을 일말의 가능성마저 사라져 버린 셈이다.

수가 얼마 남지 않은 적들 가운데 한 명인 와룡검단주는 사력을 다해 칼을 놀리다가 가허의 최후를 목도하곤 깊은 절망에 빠졌다.

'이럴 수가, 북룡정께서……!'

찰나의 상념으로 인해 드러난 빈틈.

마주 칼을 놀려 상대하던 표사 하후금은 그것을 놓치지 않았다.

슈카아악!

예기를 머금은 칼날이 최단의 거리로 쾌속하게 내뻗치자마자.

푸우욱!

살을 깊숙이 찌르는 섬뜩한 음향.

하후금의 날카로운 검극은 한 치의 오차도 없이 어깨와 팔뚝 사이의 비유혈(臂儒穴)에 쑤셔 박혔다.

"아악!"

비명을 토한 와룡검단주가 몸을 휘청거린 순간 그의 등 뒤로 접근한 하후은과 하후동이 누가 먼저랄 것도 없이 손속을 뿌렸다.

슈우욱, 슈우욱—!

하후은의 칼은 종아리 뒤의 승근혈(承筋穴)을 시작으로 장딴지를 종단했고 하후동의 칼은 등골뼈를 따라 붉은 선을 내리그었다.

푸하악, 푸하아악…….

연이은 검상에 의해 선혈을 내뿜은 와룡검단주의 얼굴이 푸들푸들 세찬 떨림을 발했다.

'끄흐으……!'

전신의 신경을 뜨겁게 훑는 끔찍한 고통에 괴로운 소리를 내뱉을 기력조차 없다.

하후금이 이내 비유혈을 찌른 검을 쑥 뽑더니.

"내 원래 돈을 받고 목숨을 취하는 칼잡이 출신이라 목을 베는 데엔 일가견이 있지."

살기를 담은 말과 동시에 우수의 검을 한껏 쳐들었다가 곧 세차게 떨어뜨리는 그.

쐐액!

섬뜩한 파공음에 이어 고깃덩이를 가르는 것 같은 거북한 소리가 짧게 울린다.

부우욱—

굵은 목이 뼈째 썰리자 위쪽의 머리통이 역겨운 핏물을 퍼뜨리며 울퉁불퉁한 지면을 따라 데구루루 굴렀다.

와룡대장의 죽음에 이어 삼십여 명 남짓한 휘하 검수들

또한 청풍표국 정예 전력의 고강한 쾌검술 앞에 차례차례
시신으로 화하는 중이었다.

날인백정 비류진, 귀검자 모관, 단혼검 방오, 묵향객 철
형, 무정검 가백, 귀보신기 곡혼량, 암향오검 해씨 오형제
등은 저마다 부지런히 연마해 온 힘을 가감 없이 발휘해 마
침내 한 명의 적도 남기지 않고 전장을 깨끗이 정리했다.

비로소 평화로운 정적을 되찾은 공간.

신율이 우수에 쥔 승화신검을 갈무리한 후 표국 일동을
제 곁으로 불러 모았다.

"다들 무사한가?"

그러자 백리대약, 역류흔 등을 비롯한 전원이 고갯짓을
보내며 외쳤다.

"예, 국주님!"

물론 부상자는 발생했으나 다행히 목숨을 잃은 자는 전
무했다.

"알다시피 우리의 임무는 아직 끝나지 않았다. 이제 본
문으로 가 나머지 적을 소탕해야 하느니라. 부디 끝까지 최
선을 다해 싸워 주길 바란다."

신율의 그 말이 끝나기가 무섭게 백리대약이 걱정스러운
듯한 눈빛을 띠었다.

"몸은 좀 어떠십니까?"

그렇듯 물음을 던진 이유는 신율의 좌측 팔뚝과 우측 허벅다리에 몇 개의 가느다란 자상이 보였기 때문이다.

하기야 앞서 상대한 북룡정 태을검공 가허는 명색이 천중팔절에 이름을 올린 초인이었기에 아무런 외상도 입지 않은 상태로 승리할 수는 없었으리라.

"난 괜찮으니 걱정하지 말게. 내상을 피한 것만 해도 다행스러운 일이거늘."

한편 사천성 내 정파, 사파의 연합 전력도 이곳에 남아 시신을 수습할 인원을 추린 다음 각기 대열을 정돈하며 청풍검문으로 가기 위한 준비를 시작했다.

바로 그때.

환상검문주인 소천검절 달충묘가 저벅저벅 걸음을 옮겨 이윽고 신율 곁에 서며 일렀다.

"내 오늘처럼 환상검식을 뿌릴 수만 있다면 장차 존자 반열의 한 자리를 차지하는 것도 가능하지 않을까 싶었는데…… 방금 전 자네 솜씨를 보고 나니 그 마음이 싹 가셨다네."

옛 친우로서 건네는 솔직한 칭찬이다.

신율이 아까 가허를 상대로 마지막에 구사했던 검초의 위용은 말 그대로 전율스러웠다. 마치 당대 사상존이 시전한 절초라 해도 무리가 없을 만큼 엄청난 검력이었다.

하나 차마 이어서 묻지 못한 것은.

보다시피 난 일전 좌약을 한 번 넣은 것만으로 이토록 강한 힘을 얻게 되었는데, 자네는 지난 시간 동안 그런 치욕스러운 일을 도대체 몇 번이나 겪었던 겐가?

그냥 속으로 중얼거리다 삼켰을 뿐 상대의 위신, 체면 따위를 고려해 입 밖으로 꺼내긴 힘들었다.

한데 표사 한 명이 눈치 없이 말하기를.

"수도 없이 매타작을 당하고 또 배때기를 찔리고, 하여간 여러 고된 과정의 반복 속에 지금의 고절한 무위를 성취하셨지요. 심지어 본 문의 영양사님에 의해 기이한 고문을 당하신 적도 있습니다. 뭐, 예전에 듣자하니 알몸 상태로 사지가 묶인 채 엉덩이를 마구 맞으셨다고……."

목소리의 주인은 바로 비류진.

아니나 다를까 신율의 안색이 샛노랗게 변했다.

"크윽! 닥쳐라, 네 이놈!"

별안간 환청처럼 귓전에 울리는 소리.

철썩, 철썩, 철썩, 철썩…….

뒤이어 운몽향아의 강제적인 손길에 엉덩이를 까고서 가죽 채찍으로 매질을 당하던 자신의 모습이 머릿속을 빠르게 스쳐 지나갔다.

"갈! 괘씸한…… 그건 과장된 헛소문이니라! 여하튼 이 싸움이 끝나거든 보자꾸나! 표사 비류진!"

신율이 발끈한 투로 매서운 눈빛을 쏘자 살기를 느낀 비류진이 흠칫 놀라더니 냉큼 주둥이를 꾹 다물었다.

하나 그를 비롯한 대다수의 생각은 똑같았다.

과장된 헛소문은 무슨, 다른 이도 아닌 운몽향아라면 능히 그런 짓을 벌이고도 남을 괴팍한 여인인데…… 라고.

애써 당혹감을 감춘 신율이 이내 내공을 운용해 육방전성을 터뜨렸다.

『자, 자! 진천당가는 지금쯤 본 문 주변의 전장에 합류했을 것이외다! 그러니 우리도 길을 서두르는 것이 좋겠소!』

사천성 정파 협회주 무학선생 석대송이 주위의 일행을 대표해 전성으로 그 말을 받았다.

『예, 신 국주.』

그렇게 청풍표국 수뇌부를 위시한 수많은 인원은 긴 행렬을 이루자마자 일제히 두 발을 굴려 저편의 숲길로 빠르게 나아갔다.

타다다다닷, 타다다다다닷, 타다다다닷—!

*   *   *

하연설을 포함한 적전제자들, 평제자들은 날렵한 경공술로 내달리다가 숲속의 어느 널따란 풀밭에 이르러 일제히 신형을 멈춰 세웠다. 그러곤 추격해 오는 적을 맞이하기 위해 저마다 체내 공력을 이끌어 내며 임전 태세를 갖췄다.

우웅— 웅— 우웅—!

각기 손에 쥔 병기가 경쾌한 울음을 발한 직후.

파파파파, 파파파파, 파파파파……!

요란한 풍성이 들려옴과 동시에 멀지 않은 곳으로부터 무수한 인영이 쇄도해 드는 모습이 일동의 눈동자에 소복이 담겨 들었다.

하연설이 동공을 반뜩 빛내며 짧게 외쳤다.

"다들, 각오는 됐지?"

그러자 단선후, 마봉, 양욱, 선우경리, 표필, 윤결 등이 한목소리로 대답했다.

"예, 대사저!"

현재 빠르게 다가드는 적은 홍룡대(紅龍隊)와 산하의 부룡검단(浮龍劍團), 우룡검단(雨龍劍團)으로 그 인원이 대략 사백오십 명 남짓이었다. 게다가 전원이 끝을 보기로 작정한 듯 용심마단의 힘까지 개방한 상태였다.

일신에 보유한 무위를 떠나 수적으로 너무나도 열세인데.

하나 하연설을 비롯한 문도들 모두 전혀 개의치 않는 듯 체외로 무형지기를 발산하며 가슴속 전의를 불태웠다.

이윽고 용신부의 검수 무리가 삼십 장 내로 거리를 좁혀왔을 때.

펄럭펄럭, 펄럭펄럭, 펄럭펄럭—!

사방으로부터 옷자락이 세게 나부끼는 음향이 잇달아 터져 나오나 싶더니 수백 명의 마인이 적전제자, 평제자 일동이 선 자리 주위에 진을 이루듯 펼쳐 섰다.

혈천마신령 첩헌진이 이끄는 혈교 마인들, 그리고 대천마도공 갈무정, 마심검공 후효 등 천마삼공을 위시한 천마신교 정예 전력이 비로소 모습을 드러낸 것이다.

두 교의 마인 무리가 몸 밖으로 발산하는 투기와 살기, 마기가 한데 어우러지자 일대 공간의 분위기가 확 바뀌었다. 마치 이곳이 마도 무림의 성지인 것처럼 가슴 한구석을 불편하게 자극하는 무형의 기운이 사방에 가득했다.

별안간.

쿠쿠쿠쿠, 쿠쿠쿠쿠쿠…… 드드드드, 드드드드드, 드드드—!

첩헌진이 붉은 눈알을 사납게 빛내며 내공을 운용한 영향으로 지면과 대기가 세차게 진동하며 울었다.

뒤이어 우수에 움킨 마도 무림 최상위의 신병 혈정마검

도 그에 감응하듯 지이잉! 하고 검명을 퍼뜨리며 예리한 몸을 가볍게 떨었다.

명색이 혈교의 부교주답게 가히 숨이 막힐 것만 같은 고강한 기도.

질세라 천마삼공인 대천마도공 갈무정, 마심검공 후효, 개벽마부공 야소도 짙은 마기를 발산하며 호기롭게 병기를 움켰다.

여러 상위 마인이 내뿜는 무형지기에 의해 주변 경물 전부가 투명하게 구겨져 보이는 가운데 첩헌진이 근엄한 목소리를 내뱉었다.

"피의 보복…… 반드시 이루리라!"

그러자 갈무정, 후효 등이 무언의 고갯짓을 보내며 반응했고 나머지 혈교도들, 천마신교도들 또한 저마다 두 눈에 쌍심지를 켰다.

하연설은 이내 고개를 좌우로 돌려 예의 마인들 진용을 살피곤 희미한 미소를 머금었다.

'믿음직스러워.'

중원 무림과 마도 무림이 손을 맞잡고 합심해 싸우는 날이 올 줄이야, 정말이지 이전엔 예상조차 못한 가히 기적과 같은 일이다.

마침내 양 진영의 간극이 십 장 내외가 된 순간에.

『쳐라!』

첩헌진의 천리전성이 웅혼한 메아리로 화하자 청풍검문 적전제자들, 평제자들, 혈교와 천미신교 마인들 모두 전방의 적을 향해 질풍처럼 운신해 나갔다.

파파파파파파파파파파—!

용신부 검수 무리도 질 수 없다는 듯 박차를 가해 맹렬히 돌진하고.

그렇듯 급격히 압축되는 거리.

두 진영의 수많은 인원이 한데 마주치자마자 온갖 금속성과 파공음이 한꺼번에 터져 나오며 장내를 크게 진동시켰다.

카카카카캉, 쩌저저저정, 채채채채챙, 퍼퍼퍼퍼펑, 콰콰콰콰쾅……!

하연설은 자신의 정면을 노리고 든 홍룡대원을 향해 우수의 설옥검을 횡으로 그었다.

슈아아아아아앗— 푸아아아아아악!

쾌속한 멸절의 용신기에 의해 홍룡대원의 허리가 단번에 잘려 나간다.

어느덧 무재 반열을 까마득히 초월해 강호 무림 검후의 후보로 발돋움 중인 그녀의 무위는 실로 막강한 수준이었다.

푸아악, 푸아악!

적 둘을 추가로 베어 넘긴 하연설이 다른 적을 노려 운신하려던 찰나 무언가를 발견하곤 낯빛이 돌변했다.

'아니! 저것은 전대 문주님께서 가지고 계셨던 신풍검……?'

대략 이십 보 남짓한 거리에 용신부 소속의 오십 대 검수 하나가 보인다.

용의 비늘과 같은 무늬를 배경으로 삼아 흉맹스러운 용 한 마리가 커다랗게 수 놓인 장포를 몸에 두른 그의 정체는 홍룡대의 대장이었다.

슈앗, 슈아앗—!

맹렬한 칼질로 혈교 마인 다섯 명을 베어 넘긴 홍룡대장은 수마인처럼 변한 외형으로 징그러운 미소를 머금었다. 그러곤 자신을 노려 돌진하는 십여 명의 마인을 잇달아 참살해 버렸다.

여느 일류 고수도 쉬이 맞받아치기 힘든, 실로 고강한 검세.

그런 그의 우수엔 예사롭지 않은 예기를 풍기는 검이 들려 있다.

석 자에 조금 못 미치는 길이에 흡사 맑은 하늘처럼 청색이 감도는 칼날과 그 표면을 따라 무수히 음각된 바람을 상징하는 작은 문양들, 그것은 예전 청풍검문이 소유하고 있던 열 자루 보검 중 으뜸으로 명성을 떨친 신풍검의 고유 특징과 똑같았다.

만약 진짜 그 칼이라면 어째서 홍룡대장의 수중에 있는 걸까.

가능성은 오직 하나, 과거 문중의 정예 전력을 이끌고 철붕대전에 참전했던 청풍검문의 전대 문주 조휴를 해한 흉수가 바로 홍룡대장이란 의미였다.

하연설은 한층 안력을 돋워 칼의 생김새를 확인하곤 두 눈을 사납게 빛냈다.

'분명해! 사문의 신물 신풍검이야!'

그때 홍룡대원 두 명이 내밀한 보법을 밟아 등 뒤를 기습적으로 노려 왔다.

하나.

휘리릭!

날카로운 풍성을 발하며 신형을 뒤돌린 하연설의 검은 그런 적의 접근을 쉬이 용납하지 않았다.

선회 동작과 연계한 횡단의 참격.

슈아아아아아앗!

쾌속한 파공음을 동반한 멸절의 용신기는 십 보 거리로 엄습한 홍룡대원 둘의 허리를 그대로 작두질하듯 반듯하게 끊어 버렸다.

털퍼덕, 털퍼덕—

상체와 하체가 분리되어 지면 위로 핏물을 퍼뜨리는 시신들.

직후 하연설은 더 생각할 것도 없이 상승 경공술 초상비를 전개해 사문의 신물 신풍검을 소유한 홍룡대장을 노려 갔다.

타다다다닷, 타다다다닷!

진일보한 무위를 증명하듯 눈 깜짝할 사이에 거리를 격한 그녀가 우수의 설옥검을 놀려 상대의 좌측을 파고들었다.

챙!

따가운 쇳소리와 동시에.

퍼허엉—!

경쾌한 폭성이 크게 울려 퍼지며 기파의 잔해가 사위로 확 번졌다.

간발의 차이로 공세가 막힌 하연설이 몇 발짝 뒤로 밀린 찰나 홍룡대장이 입매를 씰룩 비틀며 싸늘한 목소리를 내뱉었다.

"감히 어딜."

일언반구의 대꾸도 없이 지면을 박차는 그녀.

타다다다닷!

어느덧 일신의 장기로 자리를 잡은 초상비와 더불어 설옥검이 내뿜은 멸절의 용신기가 상대의 가슴팍으로 빠르게 쇄도한다.

슈아아아아아—!

홍룡대장도 즉시 기민하게 반응했다.

신속한 팔놀림을 따라 최단거리로 쏘아져 나간 찬섬의 용신기는 그렇게 멸절의 용신기와 충돌하자마자 우렁찬 굉음을 터뜨렸다.

꽈우우우우웅……!

하연설은 숨 돌릴 틈조차 주지 않으려는 듯 연거푸 고강한 참격을 구사했다.

슉, 슈슉— 퍼벙, 펑, 퍼버벙—!

순식간에 십여 합을 교환한 두 사람.

찬섬의 용신기와 멸절의 용신기가 거듭 맞부딪치며 큰 소리로 지면을 흔든 순간 하연설이 뿌리던 검세의 흐름이 돌변했다.

쐐애액!

설옥검이 바람을 매섭게 가르며 일직선의 찌르기를 행한다.

흡사 푸른 바람이 길쭉한 송곳으로 화해 나아가는 듯한

칼날의 검기.

홍룡대장의 칼이 전방으로 곡선을 그리며 그 공세를 방어했다.

퍼엉!

기세가 오른 하연설의 손속은 거침이 없었다.

쐐액, 쐐애액— 펑, 퍼펑, 펑!

쾌속하게 이어지는 그 검초 앞에 홍룡대장은 기어이 왼쪽 어깨에 붉은 검상 하나를 허용하고 말았다.

찌이익!

길게 찢겨 나간 옷 위로 핏줄기가 튀고.

"읏!"

짤막한 소리를 발한 홍룡대장이 인상을 살짝 구긴 채 보법을 밟아 신형을 뒤로 물렸다.

탓, 타탓.

그때 초상비로 다시금 거리를 좁힌 하연설이 우수의 설옥검을 급속도로 내뻗었다.

쐐애액!

예리하게 쇄도한 그 검초에 의해.

츄우웃, 푸하학!

홍룡대장이 걸친 장포의 허리 부위가 길게 잘려 나가더니 살갗의 검상으로부터 꽤 많은 양의 핏물이 흘러 바닥을

축축이 적셨다.

"크……!"

방금 하연설이 연속적으로 구사한 찌르기는 청풍검결 제오장의 초식 청마첨풍(靑馬尖風)이었다.

그동안 검무영의 혹독한 지도를 받으며 기존의 사문 검학 위에 새로이 습득한 쾌검술의 요체가 극상의 조화를 이룬 터라 일련의 손속이 가히 절초에 가까운 묘용을 자랑했다.

재차 맹렬히 뻗어 나가는 청마첨풍.

쐐애액!

홍룡대장은 즉각 극성의 공력을 이끌어 낸 칼질로 예의 검초를 맞받아쳤다.

까아아아아아앙— 퍼어어어어어엉!

따가운 금속성과 묵직한 파공음이 연이어 터져 나온 직후.

지이이이익, 지이이이익…….

하연설과 홍룡대장은 똑같이 발바닥으로 지면을 훑으며 십 보 남짓한 거리로 후퇴해 섰다.

서로의 검세가 충돌한 반탄지력에 밀린 것이다.

핏빛 눈동자 위로 짙은 살광을 발한 홍룡대장이 입매를 실쭉 올리며 말했다.

"크르…… 옳아, 이제 보니 네가 바로 청풍검문의 하씨 계집이로구나."

질세라 하연설이 차가운 어조로 되받기를.

"그 칼, 원래 네 것이 아닐 텐데 언제 손에 넣은 거지?"

호홀지간 홍룡대장의 흉측한 면상에 어떤 이채가 떠오른다.

"내 손에 들린 이 보검 때문에 그토록 광분해 날뛴 것이냐?"

"어서 말해!"

하연설의 뾰족한 외침을 들은 홍룡대장의 입가에 맺힌 조소가 더욱 짙게 변했다.

"청풍대정협 조휴…… 후, 참으로 운이 좋은 놈이었지. 철붕대전이 한창이던 때 우리의 기습을 받고도 끝내 목숨을 건져 도망쳤으니까. 물론 놈이 소유하고 있던 칼은 보다시피 내가 빼앗아 가졌단다. 지금도 요긴하게 잘 쓰고 있느니라. 크큿."

낯빛이 일변한 하연설은 비로소 사건의 내막을 깨닫게 되었다.

'본 문이 몰락의 길을 걷게 된 원흉이 저 용신부였다니……!'

용신부는 과거 정파와 사파가 대립한 난전으로 혼란스러

운 틈을 타 수마인 육성에 필요한 여러 무인을 납치하려 계획했고, 그 과정에 있어 조휴를 위시한 청풍검문 정예 전력이 눈에 띈 표적이 된 것임이 분명했다.

홍룡대장이 다시 입을 떼기를.

"조휴란 녀석은 결국 뒈진 것이냐? 얼핏 듣자하니 그 생사를 아직까지 모른다던데. 참고로 당시 청풍검문의 나머지 무리는 위대하신 검황의 안배를 통해 모조리 수마인으로 탈바꿈했다. 하지만 누가 누구인지 분간하기 힘들 것이야."

심기를 자극하는 조롱기 가득한 말투였다.

동시에 하연설의 동공 뒤로 무형의 불똥이 튀었다.

콰악!

설옥검의 칼자루를 힘껏 고쳐 잡는 손.

뜨거운 눈빛이 말하고 있다.

제 앞에 나타난 사문의 원수를 절대 용서할 수 없다고, 반드시 그 머리를 베어 간악한 흉수의 대가를 치르게 해 주리라고.

그렇게 속으로 다짐한 하연설이 지면을 박차려는 순간 누군가의 은밀한 전성이 귓전에 와 닿았다.

『아서라, 내가 상대토록 하마! 그는 현재 극성의 공력을 운용 중이다!』

그 전성의 주인은 멀지 않은 곳에 자리해 맹렬한 손속을 뿌리고 있는 혈교의 부교주 혈천마신령 첩헌진이었다.

그렇지만 하연설은 사양했다.

『아니요, 괜찮아요! 너무 걱정하지 마세요! 제 실력으로 능히 제압할 수 있답니다!』

전성을 통한 호기로운 선언이 끝나기가 무섭게 질풍처럼 앞으로 쏘아져 나가는 교구.

파파파파파—!

홍룡대장도 마주 땅을 차고 돌진하더니 십 보 간격에 이르러 우수의 신풍검을 위에서 아래로 난폭하게 내리그었다.

슈아아아아아아아앗!

대기와 지면을 마구 떨쳐 울리는 육중한 파공음과 더불어 번쩍이는 멸절의 용신기가 종단의 기세로 앞의 상대를 사납게 노려 간다.

한데 그 찰나.

하연설의 동공이 투명한 흔들림을 자아냈고 뇌천으로부터 백색 아지랑이가 치솟아 빙글빙글 맴돌았다.

검무영의 가르침을 받아 깨달은 용신안의 일부 요체와 천무여와성맥이 가진 상단전의 힘을 한꺼번에 운용한 것이다.

그것으로 말미암아 시계에 담겨 드는 모든 것이 느리게 보이기 시작했다.

전면으로 육박하는 멸절의 용신기도, 또한 주변 전장의 사람들 움직임도 모두.

가속화된 운기, 극대화된 기감.

그렇듯 숨은 힘을 이끌어 낸 하연설은 마치 물 흐르듯 신형을 움직여 멸절의 용신기를 회피한 후 상대의 앞쪽을 향해 설옥검을 빠르게 내찔렀다.

쐐애애애애애액!

청풍검결 제오장의 초식 청마첨풍을 상회하는 제육장의 찌르기 검초 청검파암(靑劍破巖).

최대 공력을 담아 구사한 일검이다.

화들짝 놀란 홍룡대장이 다급히 우수의 칼을 기울여 방어세를 취했다.

쩌어어어엉!

따가운 쇳소리에 이어.

'어억!'

강력한 검초를 받은 여파로 팔이 뒤로 세게 튕겨 나간 홍룡대장의 낯빛이 창백해졌다. 하마터면 손에 쥔 신풍검을 놓칠 뻔했기 때문이다.

하연설의 쾌속한 검초가 거듭 공기를 갈랐다.

슈카악!

찌르기에서 베기로 돌변한 종단의 검세.

청풍검결 제육장의 참격 검초인 풍왕단경(風王斷境)이다.

홍룡대장은 신형을 뒤로 물릴 새도 없이 이를 으물며 칼을 쳐올렸다.

차카앙— 퍼어엉!

검날의 충돌로 기파의 잔해가 사위로 번지고.

"컥!"

충격을 받은 홍룡대장의 상체가 크게 흔들리며 한쪽 무릎을 지면에 꿇고 말았다.

지금 하연설이 발휘 중인 최대 공력을 감당하지 못한 영향이다.

'이 무슨……!'

홍룡대장의 눈동자가 거친 파문을 일으킨 찰나 하연설의 설옥검이 공기를 횡단하며 멸절의 용신기를 내뿜었다.

슈아아아아아아아—!

가슴을 섬뜩하게 만드는 파공음, 그리고 시끄럽게 터져 나오는 폭음.

콰아아아아아앙……!

동시에 홍룡대장의 신형이 강풍에 휩쓸린 낙엽처럼 한옆으로 세게 튕겨 나가 커다란 고목을 들이받았다.

우지직, 꾸궁!

나무를 부수며 바닥에 엎어진 그의 입가로 진득한 핏물이 새어 나왔다.

"커……."

그때 초상비를 전개한 하연설이 지척으로 접근해 우수의 설옥검을 맹렬히 그어 내렸다.

질겁한 홍룡대장은 엎어진 상태로 몸을 빠르게 굴려 공세를 피했고, 예의 검극이 간발의 차이로 지면을 두드려 부쉈다.

꽈아앙, 쿠드득……!

홍룡대장은 신속히 신형을 일으켜 세우며 이를 빠드득! 갈았다.

'제기랄!'

자신이 삼류 무인도 아니고 바닥에 누운 채로 몸을 굴려 상대의 공격을 회피하다니, 정말이지 치욕스러운 장면이 아닐 수 없다.

별안간 하연설의 칼이 전방의 그를 노려 횡단의 궤적을 그렸다.

촤아아아아아아아아아앗—!

눈 깜짝할 사이에 간극을 압축해 버리는 어마어마한 검기.

일섬반천.

하늘의 섭리를 뒤집을 만큼 쾌속하다는 의미의 청풍검결 종장 내 궁극의 검초.

극성의 힘이 실린 일섬반천 앞에 홍룡대장은 방어 검초를 쓸 틈도 없이 허리가 잘려 나가며 역겨운 피분수를 사위로 퍼뜨렸다.

푸하아악!

第四章
사기충천(士氣衝天)

　매끈하게 잘려 나간 상체와 하체.

　단숨에 두 조각이 난 홍룡대장의 시신이 바닥 위로 쓰러
져 눕고.

　철그렁—!

　손에 들려 있던 신풍검이 덩달아 지면과 맞닿자 짧은 쇳
소리를 연주한다.

　하연설은 즉각 홍룡대장의 시신 곁으로 운신해 서자마자
좌수로 신풍검을 냉큼 집어 들었다.

　'마침내 되찾았구나! 사문의 귀중한 보검을……'

　손바닥을 통해 그 칼자루의 감촉이 전해지자 일순 벅차

오르는 기쁨이 온몸에 뿌듯이 차올랐다. 뒤이어 속으로 전대 문주 청풍대정협 조휴의 넋을 기리며 신풍검을 허리 옆에 갈무리했다.

가공스러운 초식 일섬반천에 의해 시신으로 화해 버린 홍룡대장은 두 눈을 한껏 부릅뜬 상태였다. 마치 제 죽음을 도저히 믿기 힘든 듯한 표정 같았다.

바로 그 순간.

파파파, 파파파파—

홍룡대장의 죽음 앞에 광분한 홍룡대원 여섯 명이 두 조로 나뉘어 좌우 방향을 매섭게 노리고 들었다.

하나 하연설의 반응은 그보다 더 빨랐다.

슈아앗, 슈아앗!

쾌속한 연속 참격이 멸절의 용신기를 내뿜자 양쪽을 육박하던 검수들 몸통이 재차 횡으로 반듯이 절단되었다.

푸하아악…… 털퍼덕, 털퍼덕!

힘을 잃은 짚단인 양 바닥에 쓰러지는 적들.

원래 방어 검세 정도는 능히 취할 수 있는 힘을 가진 무리였지만 하연설을 상대론 그 어떤 손속도 펼쳐 보이지 못했다.

이유는 하나, 천무여와성맥이 발휘한 신력에 의해 체내 기감이 심하게 교란을 당한 까닭이다.

앞서 극성의 공력을 이끌어 낸 흥룡대장이 제대로 된 반격을 행하지 못한 것도 바로 그 기감의 교란 때문이었다. 게다가 용신안의 일부 요체까지 합해 발휘한 터라 주요 혈도의 흐름도 방해를 받아 그렇듯 허무히 죽임을 당하고 말았다.

비릿한 혈향이 진동하는 가운데 하연설은 눈동자를 빛내며 거듭 하, 중, 상단전을 세차게 돌렸다.

'아직도 진기의 소모량을 적절히 조절하는 게 다소 까다롭지만 이런 식으로 해 나간다면 승리는 반드시 우리 것이야!'

별안간 한 사내의 얼굴이 뇌리를 스쳐 지나간다.

검무영.

마음속 깊이에 소중히 품고 있는, 이 세상에 있어 가장 사랑하는 사람.

'무영, 절대 당신을 실망시키지 않겠어요!'

그때 일련의 요란한 풍성이 상념을 방해했다.

무려 이십여 명에 달하는 흥룡대원이 횡대로 옷자락을 마구 펄럭이며 전방 공간의 간극을 빠르게 좁혀 온 것이다.

콰아악!

하연설은 즉각 설옥검의 칼자루를 움킨 손에 힘을 잔뜩 주고는 앞을 쇄도해 드는 적을 향해 극쾌의 궤적을 그렸다.

좌아아아아아아아아아아앗—!

다시 한 번 불을 뿜는 궁극의 검초 일섬반천.

순식간에 거리를 격한 횡단의 검기 앞에 홍룡대원 이십여 명은 모조리 기감이 흐트러진 상태로 회피의 운신조차 못한 채 몸통이 싹둑 잘려 나갔다.

그때부터 하연설의 손속이 강렬한 기세를 토하며 사위로 다가드는 용신부 검수 무리를 차례차례 쓰러뜨렸고, 그 앞에 결국 기가 질린 적은 극도로 조심스러운 움직임을 보이기 시작했다.

한편 첩헌진은 뇌운 문양이 음각된 혈정마검을 휘둘러 홍룡대원 열 명을 참살한 후 하연설이 맹위를 떨치는 모습을 보곤 속으로 크게 감탄했다.

'허! 실로 대단하구나. 설마하니 일신의 성취가 저 정도일 줄은……!'

이미 사천청풍대회에 임했던 하연설의 큰 활약을 전해 들은 바 있지만 현재 동공에 담겨 드는 일련의 무위는 당시보다 몇 배는 더 상승한 느낌이었다.

단지 하연설 한 명뿐만이 아니다.

나머지 네 적전제자 단선후, 마봉, 양욱, 선우경리와 표필, 윤결 등을 비롯한 평제자들 또한 저마다 출중한 무력을 과시하며 적을 섬멸해 나가고 있다.

호홀지간 첩헌진의 등 뒤를 향해 엄습하는 수십 명의 검수 무리.

부룡검단과 우룡검단에 속한 정예 전력이다.

휘휘휘휙, 휘휘휘휘휙, 휘휘휘휙—!

시뻘건 안광을 번뜩인 첩헌진은 반월 형태의 진을 이뤄 쇄도하는 적을 노려 혈정마검을 곧게 내찔렀다.

쿠르르르르르르릉—!

우레가 울리는 듯한 굉음과 동시에 붉은 벼락과 같은 고강한 마력의 검기 수십 가닥이 무질서한 움직임으로 폭사되었다.

파치치치치칫— 파치치치치칫—!

적들 또한 질세라 돌진과 연계해 멸절의 용신기를 이용한 참격을 날리고.

슈아아앗, 슈아앗, 슈아아아앗, 슈아앗……!

그렇듯 서로의 육중한 공세가 충돌하자 꽈과과광! 하는 폭음이 연쇄적으로 터져 나오더니 무수한 멸절의 용신기가 일시에 연기처럼 쇄파되었다.

물결 같은 기의 잔해가 허공으로 번지는 아래 예의 적들 신형이 반탄지력에 의해 휘청거린 찰나.

쿠르르르르르릉— 파치치치치치칫—!

첩헌진이 급속도로 동일한 검초를 구사해 수십 명의 검

수 무리를 한꺼번에 덮쳐 버렸다.

꽈과과과과광, 꽈과과과과과광, 꽈과과과과광……!

흡사 폭뢰를 맞은 것처럼 사나운 폭발을 일으키며 무참히 찢겨 나가는 시신들.

피와 살점, 뼛조각 따위가 한데 어지러이 뒤섞여 폭우인 양 지면으로 마구 쏟아져 내려 미약한 음향을 퍼뜨린다.

방금 첩헌진이 두 번 연속으로 시전한 검초는 바로 부교주의 위를 상징하는 최상승 마학 혈뢰마원검식(血雷魔元劍式)의 절초 굉천혈마의(轟天血魔意)였다.

체내 혈맥을 들끓게 만드는 혈교 고유 마공의 묘용과 절륜한 내공 수위를 기반으로 한 검력이 조화를 이룬 실로 무시무시한 검초.

그것을 본 주변의 적은 다시금 전의가 꺾였고 혈교주 적우신에 버금가는 극강의 마인 첩헌진에 대한 두려움으로 선뜻 기습을 감행하지 못했다.

파치치치치치칫—!

재차 굉천혈마의를 구사해 적을 추가로 쓰러뜨린 첩헌진이 메아리 같은 전성을 터뜨려 일행의 사기를 북돋웠다.

『승기는 이미 우리 쪽으로 기울었다! 전원 마지막 순간까지 사력을 다하라!』

직후 그 휘하의 혈교도들, 그리고 천마삼공을 위시한 천마신교도들 모두 강렬한 눈빛으로 대답을 대신하며 적을 상대로 기세를 더욱더 올려 자비 없는 손속을 마구 뿌렸다.

그로부터 멀지 않은 지점.

여느 무인과 달리 우람한 몸집을 자랑하는 양욱은 거령대검자의 신물 거령검을 세차게 휘둘러 부룡검단원 다섯 명을 베어 넘긴 다음 신속히 주위 전황을 살폈다.

'좋아, 이제 조금만 더 힘을 내 싸우면 수적으로 확실한 우위를 점할 수 있을 터!'

이내 득의에 찬 미소가 만면에 떠오른다.

한데 그 순간.

팟, 파팟—!

옆쪽을 엄습해 드는 적 둘의 기척이 감지되었다.

고작 오 보 남짓한 짧은 간극.

가슴이 철렁한 양욱이 다급히 신형을 비틀며 눈살을 구겼다.

아뿔싸, 순간 방심했다! 라는 눈빛인데.

예의 기척의 정체는 적진의 두 고수인 부룡검단주와 우룡검단주였다. 그런 두 고수의 칼날은 번쩍이는 멸절의 용신기를 내뿜은 채 어느새 좌측 어깨와 옆구리로 바짝 육박했다.

양욱은 급한 대로 방어 검세를 취했지만 이미 때가 늦었다는 직감이 머릿속을 빠르게 울렸다.

그때.

카캉, 카캉!

양욱의 거령검이 엄청난 속도로 궤적을 그리며 좌측 어깨와 옆구리를 노린 공세를 동시에 쳐 냈다.

"엥?"

정작 방어에 성공한 장본인이 몹시 놀라고.

"엇?"

"으음?"

공격에 실패한 적 둘도 덩달아 화들짝 놀라고.

서로 똑같이 당황스러운 상황이었다.

순간적인 허점을 제대로 노린 기습 공세라 절대 막기 힘들 것이라 믿어 의심치 않았는데.

'지금!'

퍼뜩 정신을 수습한 양욱은 더 생각할 것도 없이 우수에 움킨 거령검을 위에서 아래로 쾌속하게 내리그었다.

후우우우우우웅!

파공음을 터뜨리며 맹렬히 떨어져 내린 커다란 칼날이 무시무시한 풍압을 동반한 긴 검기를 발출했다.

푸하아악!

육중한 압력에 의해 어깨가 짓눌린 부룡검단주는 그대로

머리끝부터 발끝까지 반으로 나뉜 채 피를 흩뿌리며 쓰러졌다.

털썩……!

흠칫한 우룡검단주가 신속히 지면을 차고 몸을 뒤로 빼며 멸절의 용신기를 구사했다.

양욱도 마주 참격을 뿌렸다.

슈아아아아— 퍼어어어엉!

강맹한 검격의 충돌로 일대 지면이 흔들림을 자아낸 찰나 한 인영이 후퇴하는 우룡검단주의 등 뒤로 쇄도해 들었다.

'큿, 이런!'

그 기척을 느낀 우룡검단주가 속으로 고함치며 신형을 선회했을 때 예의 인영은 이미 우수의 검을 놀려 상하의 일직선 검기를 토하는 중이었다.

슈우우우우욱—!

세상의 모든 흐름을 끊어 버릴 듯한 초식.

이것이 과거 무당파의 절세 고수 무당신마 이현이 남긴 절학 혼원살신공의 검초 절류(絕流)라는 사실을 과연 누가 알까.

우룡검단주는 가슴 앞으로 칼을 세워 들었지만 그 고강한 검초를 막기는 역부족이었다.

콰차앙— 퍼거억!

고절한 검초 절류는 그렇게 상대의 칼을 무참히 깨부수곤 그 신형을 우측 어깨부터 좌측 허리까지 사선으로 갈라 버렸다.

털썩!

둔탁한 소리를 내며 지면을 피로 물들이는 시신.

직후 양욱이 반색하며 외치기를.

"아, 여보!"

우룡검단주를 죽여 없앤 인영의 정체는 아내 선우경리였다.

『어휴, 제발 정신 바짝 차려요! 저를 과부로 만들 작정이에요?』

도끼눈을 뜬 그녀가 전음입밀로 꾸짖자 양욱이 멋쩍은 얼굴로 사과했다.

『미안, 미안! 이제부터 방심하는 일은 없을 거야!』

한숨을 쉰 선우경리는 즉각 무시무시한 살기를 체외로 발산하며 연거푸 쾌속의 검초를 구사해 주변의 적을 빠른 속도로 베어 나갔다.

푸학, 푸하악, 푸학, 푸하악—!

혼원살신공을 완벽히 터득한 그녀의 무위는 말 그대로 눈이 부실 지경이었다. 나아가 하연설과 더불어 당장 검후

의 자리를 차지하더라도 전혀 무리가 없을 듯하다는 생각
마저 들 정도였다.

'아무리 내 아내라지만 일련의 기세가 정말 무섭구나.
휘유, 보고만 있어도 살이 막 떨려.'

내심 감탄한 양욱은 앞서 잠깐 방심한 제 실수를 깊이 반
성하며 다시금 거령검을 맹렬히 휘두르기 시작했다.

별안간 그 귓전에 와 닿는 누군가의 내밀한 전성.

『내가 기감을 조절했기에 망정이지 안 그랬으면 당하고
말았을 거야, 양 사제.』

하연설이다.

검을 부지런히 놀리던 양욱은 비로소 어찌 된 일인지 깨
달았다.

'아! 그렇구나, 대사저가 도움을……!'

하연설은 앞서 천무여와성맥의 신비로운 힘을 이용해 자
신의 운기 흐름을 지배하고 또 가속화시켜 절명의 위기를
피할 수 있게 만들어 준 것이었다.

'정말 하늘이 내린 재능이구나.'

혀를 내두른 그는 일 장 거리 밖에 있는 하연설을 눈에
담으며 살며시 웃었다.

'이렇듯 급박한 와중에 다른 곳의 상황까지 파악하는 여
유로움이라니…… 교두님이 괜히 천재라 칭하신 게 아니라

니까.'

그 생각이 끝나기가 무섭게 숲 저편으로부터 갑자기 무수한 기척이 다가오는 것이 감지되었다.

마치 약한 지진이 난 것처럼 진동하는 땅.

두두두두두두, 두두두두두두, 두두두두두두—!

이내 그 방향의 하늘에 웬 작은 그림자 하나가 보이나 싶더니 곧 가까운 허공 위로 다가왔다.

휘이이이이이잉—!

쾌속한 운신을 펼친 작은 그림자의 정체는 다름 아닌 개새였다.

뒤이어 개소름, 개이득, 개간지, 개폭망도 작은 꼬리를 맹렬히 돌리며 지척에 모습을 드러냈다.

"앙! 앙!"

"앙앙, 앙!"

창졸간 개새의 혜광심어가 일동의 뇌리를 울리는데.

『재들, 내 똥을 무지 좋아하나 봐! 그래서 최대한 많이 데리고 왔어!』

아니나 다를까 마치 거대한 흑색 구름이 뭉친 듯한 수마인 무리가 이쪽으로 사납게 돌진해 오는 것이 보인다.

놀랍게도 그 수가 일천 명은 되어 보이는데.

하연설을 비롯한 제자들 모두 그것을 발견하곤 저마다

낯빛이 새하얗게 질렸다. 그러곤 다들 머릿속으로 똑같이
생각했다.

아악! 미치겠네! 이건 기존의 계획과 다르잖아! 인원수가
너무 많다고!

하연설은 용신부 검수 다섯 명을 연속적으로 베어 넘긴
후 목청을 돋워 소리쳤다.

"다들, 수마인의 수가 많다고 당황하지 마! 우리는 그저
기존 작전대로 움직이면 돼!"

그러자 단선후를 시작으로 마봉, 양욱, 선우경리, 평제자
일동이 주위의 적을 물리친 다음 날렵한 운신으로 한데 모
여 섰다.

한편 일천 명에 육박하는 수마인들 등장에 이어서.

파파파파파파파파—!

심상치 않은 무형의 기도를 내뿜는 한 노인이 옷자락을
세게 나부끼며 수마인 무리 곁을 빠르게 지나치더니 이내
핏빛 전장으로 발을 들였다. 그러곤 즉각 우수에 들고 있는
기다란 창을 놀려 혈교도 대여섯 명의 몸통을 사정없이 꿰
뚫어 죽여 버린 후 웅혼한 전성을 발했다.

『못난 것들, 우리 뒤에 위대한 검황께서 버티고 계신데
무얼 두려워하는 것이냐!』

그 노인은 바로 전대 무림을 군림한 천중팔절의 하나이

자 현 용신부의 하룡정(下龍政)인 오운창사(五雲槍士) 계철
(啓喆)이었다.

열세에 몰려 있던 용신부 무리는 그렇듯 용정 반열의 강
자가 합류하자 저마다 흔들린 심기를 가까스로 추슬렀다.

계철이 신속히 보법을 밟아 첩헌진의 우측으로 접근하더
니 창극을 강하게 찌르고.

부우웅—!

질세라 첩헌진의 혈정마검도 직선을 그으며 마중을 나간
다.

까아아아앙— 퍼어어어엉……!

두 병기가 연주하는 금속성과 파공음의 메아리.

직후 첩헌진의 신형이 빙판 위를 주르륵 미끄러지듯 십
여 보 뒤로 후퇴했다.

"흠……!"

예상 이상으로 고강한 창력 때문이다.

동공을 번뜩인 계철의 체외로 시커먼 연기와 같은 기류
가 맴돌자마자 그 외형이 순식간에 흉측한 수마인처럼 변
했다.

"변방의 추잡한 마인 따위가 감히 나와 손속을 나누려
드느냐? 혈마대제가 직접 나서도 모자랄 판국에…… 크
큿."

계철이 싸늘한 조소를 머금자 첩헌진의 굵은 눈썹이 꿈틀 치솟는다.

"추잡한 마인?"

발끈하는 표정과 달리 우수에 움킨 칼을 섣불리 놀리지 않는 그.

상대의 의도적인 도발에 쉬이 휘말리는 인물이었다면 애초 혈교 내 서열 이 위인 부교주 직에 오르지 못했으리라.

돌연 중후한 천리전성이 사방 공간을 크게 울리는데.

『오만하군.』

동시에 웬 붉은 인영이 허공을 격해 불쑥 나타나더니 계철의 전면을 향해 빛살인 양 쏘아져 나갔다.

쉬이이이이이이잇!

날카로운 풍성마저 앞지르는 신쾌한 경공술.

계철은 더 생각할 것도 없이 창을 내지르며 나선형의 육중한 기운을 발출했다.

쿼쿼쿼쿼쿼쿼쿵—!

과거 강호 제일의 창법으로 위명을 떨친 일신의 무학 오운영풍창법(五雲迎風槍法)의 제팔초 선라풍운격(旋螺風雲擊)이다.

붉은 인영이 그 강력한 창초에 맞서 우수의 검을 쭉 뻗자 핏빛 마기가 눈 깜짝할 사이 수십 자루의 칼 형태로 화해 폭사되었다.

꽈꽈꽈꽈꽝, 꽈꽈꽈꽈꽈꽝!

연속적인 굉음이 귓전을 때리기가 무섭게 계철의 몸이 뒤로 크게 휘청대며 무려 이십여 보의 거리를 물러났다.

화려한 검초를 펼쳐 보인 붉은 인영의 정체는 당금 혈교의 교주인 혈마대제 적우신이었다. 그리고 방금 마도 최고의 신병 혈마루를 통해 시전한 것은 혈폭신마공을 기반으로 한 검학 혈마적혼검법(血魔赤魂劍法)의 상승 초식들 중 하나였다.

『본좌의 별호를 그 주둥이에 함부로 담지 말거라.』

거듭 중후한 천리전성을 터뜨린 적우신이 체내 공력을 한 단계 위로 이끌어 내자 핏빛 안개와 같은 마기가 신형을 감쌌고 일대 지면이 요란한 떨림을 자아냈다.

쩌저저저저…… 쩌저저저저저……!

무수히 금을 그리는 땅이 그 가공스러운 무력을 대변하는 가운데 적진의 인원은 겨우 다잡았던 심기가 재차 흔들렸다.

등장만으로 만인을 압도하는 절세 마인의 위풍.

천마신교주 광뢰와 더불어 마도 무림의 정점에 올라 있는 적우신의 장중한 기도는 압도적이다 못해 숨까지 막힐 지경이었다.

꽈드득!

적우신이 진각을 밟자 그 방향 선상에 위치한 용신부 검수 이십여 명의 몸이 허공으로 빠르게 솟구치고.

"웃!"

"어엇!"

뒤이어 우수에 들린 혈마루가 그 허공을 향해 예리한 궤적을 긋자 핏빛 마력을 담은 어마어마한 크기의 검기가 공간을 격해 맹렬히 뻗어 나갔다.

슈우우우우우우—!

혈마적혼검법 내 또 하나의 상승 초식인 혈마분월검광(血魔分月劍光)이다.

푸아아악, 푸아아아악…… 후두둑, 후두두둑!

한 명 예외 없이 몸통이 잘린 검수들 시신이 조각조각으로 떨어져 내리며 지면 위를 나뒹구는 찰나 첩헌진이 속삭이는 듯한 전음으로 물었다.

『교주님, 시작입니까?』

적우신도 곧바로 내밀한 전음으로 응대했다.

『그렇다, 적의 수는 신경 쓰지 말고 당장 움직여라!』

『예!』

그때 계철이 급속도로 돌진해 들었다.

전진과 연계한 창격.

부우우우웅— 쿼쿼쿼쿼킹—!

창극으로부터 나선형의 육중한 기운이 발출되어 적우신의 가슴팍을 향해 사납게 쇄도한다.

앞서와 동일한 오운영풍창법의 제팔초 선라풍운격이지만 일련의 기세가 사뭇 달랐다. 상대가 상대인 만큼 무려 칠팔 할의 내력을 실어 보냈기 때문이다.

일순 적우신이 혈마루를 곧게 그어 내리자 혈마분월검광이 전방 지면을 일직선으로 길게 깨부수며 나아가 선라풍운격과 맞부딪쳤다.

퍼어어어어어엉!

공간을 떨쳐 울리는 폭음에 이어 계철의 몸이 드센 반탄지력에 밀려 십여 보 뒤로 빠르게 튕겨 나갔다.

"크윽……!"

짧은 소리를 내뱉은 그가 미간을 찌푸렸다.

적우신이 구사한 혈마분월검광의 근원적인 힘 혈폭신마공의 영향으로 주요 기맥과 기혈이 사나운 말처럼 날뛰며 뜨거운 통증을 선사한 까닭이다.

계철은 어쩔 수 없이 극성의 내공을 운용해 제 몸속에 깃든 혈폭신마공의 고유 마기를 신속히 몰아냈다.

'윽, 겨우 진정시켰구나!'

자신도 모르게 안도의 한숨을 쉬는 그.

만약 일신의 내공 수위가 지금보다 조금만 더 낮았다면, 아니 용심마단의 힘을 개방하지 않았다면 상대의 고절한 마력에 의해 신체 일부가 폭발하듯 무참히 터져 나가고 말았으리라.

지축을 흔들며 쇄도하던 수마인들은 어느새 혼잡한 전장 가까이로 온 상태였다.

"카학, 카학!"

"우어억!"

"쿠억! 쿠어억!"

듣기만 해도 소름이 쭉 끼치는 난폭한 괴성들.

별안간 허공에 머물고 있던 개새가 귀를 쫑긋 세운 후 시커먼 덩어리를 이룬 무리 최선두의 수마인을 노려 궁신탄영을 전개했다.

피이이이이이이잉—!

시뻘건 눈을 번뜩인 수마인이 커헝! 하고 난폭한 소리를 내지르며 두 팔을 뻗었다. 그러자 두 가닥의 흑색 기류가 개새를 향해 쏘아졌다.

쏴아아앙, 쏴아아앙—!

하나.

휘획, 휘획—

개새는 날렵하고 매끄러운 운신으로 공세를 회피하곤 그

대로 수마인 얼굴로 바짝 육박해 그 입을 덥석! 물었다.

　찰나 작은 몸뚱이가 바람을 넣은 것처럼 살짝 부풀어 오르나 싶더니.

—머어어어어어어어어엉!

　전설적인 음공인 사자후의 무시무시한 음력이 발출되었다.

　퍼거억, 퍼걱, 퍼거어억—!

　예의 수마인은 사자후의 힘을 감당하지 못한 채 전신이 사위로 터져 나갔고 그 방향 선상의 다른 수마인 수십 명도 머리통이 박살이 나 죽었다.

　개소름, 개이득, 개간지, 개폭망도 쾌속한 운신을 펼쳐 수마인 하나를 노려 갔다.

　"앙, 앙!"

　"앙앙, 앙!"

　"앙!"

　뒤이어.

　콱, 콰콱, 콱, 콰콱!

　수마인의 팔다리를 하나씩 깨문 개소름, 개이득, 개간지, 개폭망이 머리를 세차게 흔들자 섬뜩한 음향이 터져 나왔다.

트드드득, 트드득, 트드드드득—!

수마인의 우람한 몸이 네 조각으로 무참히 뜯겨 나가는
소리.

그것을 본 주변의 적은 순간 머릿속이 아뜩했다.

'허! 무슨 강아지들 따위가……!'

의당 경악스러울 수밖에, 특출한 영물 개새와 관련한 이
야기는 이미 들어 알고 있는 상태였지만 그 새끼 네 마리에
대한 정보는 파악된 게 전무했으니까.

"멍! 멍멍!"

개새가 명랑하게 짖더니 제 새끼 네 마리를 이끌고 저편
허공으로 빠르게 날아갔다.

직후 적우신이 주변의 일행을 향해 수신호를 보내며 천
리전성으로 명을 내렸다.

『전원, 후방으로!』

동시에 하연설을 비롯한 적전제자들, 평제자들, 혈교도
들, 천마신교도들 모두 일사불란한 동작으로 퇴각을 시작
했다.

질세라 계철이 이마에 핏대를 세운 채 수마인 무리를 보
며 쩌렁쩌렁한 전성을 터뜨렸다.

『어서 뒤쫓아라! 수적 열세에 놓인 적을 예서 놓치면 곤

란하다!』

＊　　　＊　　　＊

쉬이잉— 퍼엉……!

맑은 하늘에 돌연 섬광이 번쩍이더니 회색 연기를 퍼뜨린다.

수마인 무리와 더불어 조용히 대기하고 있던 강선림 상위 고수 백우선령은 그 폭죽 신호를 발견하곤 의문을 품었다.

'뭐지?'

폭죽이 터진 곳은 사해쌍도황 섬맹이 간 길과 반대 방향이다.

미처 예상하지 못한 돌발 상황.

낯빛이 어둡게 변한 백우선령은 잠깐 고민하며 섬맹의 당부를 머릿속에 떠올렸다.

　　—너는 별도의 신호가 있기 전까지 움직임을 삼
　　가라. 알겠느냐?

그는 이내 결심이 섰다.

'도황의 신호는 아니지만 이대로 가만히 있을 수는 없잖은가. 만약 우리 쪽이 지금 큰 위기에 처한 것이라면……'

수마인 무리도 본능적으로 이상한 낌새를 맡은 것처럼 저마다 으르렁! 소리를 내며 커다란 몸을 흔들어 댔다.

내공을 운용한 백우선령은 즉각 지면을 박차고 나아가며 명을 내렸다.

"당장 날 따르라!"

*　　　*　　　*

대기를 가르는 섬맹의 쌍도.

까아아앙—!

엄청난 쇳소리와 동시에 천붕대검존 묵진겸의 신형이 뒤로 세게 튕겨 나가더니 한 바위에 등짝을 들이받았다.

꾸꿍— 쩌저적!

균열이 난 바위가 으스러지고.

"크……!"

짤막한 신음을 발한 묵진겸의 입가로 가느다란 핏줄기가 새어 나왔다.

용심마단의 힘을 이끌어 낸 섬맹의 강맹한 도초에 밀린 것이다.

"크큭, 제법 잘 버티는구나."

그렇듯 상대를 비웃은 섬맹이 이내 땅을 쾅! 차고 번개처럼 돌진해 갔다.

파파파파파—

묵진겸은 즉각 우수의 붕백을 가슴 앞으로 세워 들며 방어 자세를 취했고, 섬맹의 쌍도가 좌우로 선을 그으며 그 칼날을 강타했다.

쩌어엉— 퍼허어엉……!

서로의 병기가 맞닿은 곳으로부터 투명한 기파의 잔해가 사위로 퍼진 찰나.

ㅊㅊㅊㅊ, ㅊㅊㅊㅊ, ㅊㅊㅊㅊ—!

기이한 음향과 함께 묵진겸의 체외로 시커먼 기류가 빠르게 치솟았다.

창졸간 섬맹의 안색이 돌처럼 굳고.

'저것은……?'

그때 묵진겸이 서늘한 안광을 내뿜으며 나지막이 말했다.

"보다시피 너와 동일한 힘이지. 놀랐느냐?"

동일한 힘.

섬맹은 그 소리를 듣자마자 가슴 한구석이 싸늘히 가라앉았다.

'용심마단! 놈, 설마……?'

찰나 한 쌍의 야도와 날카로운 몸을 맞대고 있던 붕백의 날이 세찬 떨림과 동시에 경쾌한 파공음을 터뜨린다.

파하앙—!

붕백이 폭사한 기운의 반탄지력에 밀린 섬맹의 신형이 십오 보 남짓한 거리로 빠르게 후퇴해 서며 미약한 흔들림을 자아냈다.

뒤이어.

쿠쿠쿠쿠쿠…… 쿠쿠쿠쿠쿠쿠……!

묵진겸이 체외로 발산한 육중한 무형의 경기가 흡사 거대한 천신의 거친 숨결처럼 주변 공간을 뒤덮기 시작한다.

천패검붕 군율, 그리고 붕옥무결검 동리을홍, 비붕검작 맹초, 백붕전주 탐혈붕검 귀조 등 전주 오인은 멀찍한 곳에 선 채로 그 광경을 바라보며 내심 탄성을 터뜨렸다.

'와! 일신의 내공 수위가 가파르게 증가하고 있구나! 환골탈태를 이룬 뒤에 또 하나의 상승 요체를 습득하다니…….'

그것을 방증하듯 묵진겸이 두 발로 딛고 선 자리를 중심으로 원형의 기파가 투명한 파문처럼 번지자.

트드드드득, 트드드드드득— 쿠르르릉, 쿠르릉, 쿠르르르르릉—!

주위 땅거죽이 마구 휘말려 허공으로 치솟았고 대기의 진동도 한층 드세게 변해 우레와 같은 묵직한 음향을 연신 울려 댄다.

심지어 그 힘에 의해 저 높은 하늘에 떠 있는 일련의 구름마저 넓게 펴져 나갔고 시계에 담겨 드는 나무, 바위 따위가 일제히 조각조각 부서져 어지러이 비산했다.

꾸우욱…….

쌍도를 쥔 손에 힘을 가한 섬맹이 의미심장한 눈빛을 띠며 입을 열었다.

"네가 예전에 복용한 다섯 개의 용심마단…… 하나 내 듣기로 약의 기운을 견디는 것만 가능할 뿐, 힘을 운용하기 시작하면 결국 폭주를 막을 수 없다고 했는데 혹 모종의 새로운 깨달음을 얻었느냐?"

별안간 묵진겸의 신형을 감싼 시커먼 기류가 뇌천으로 모여 들더니 순식간에 체내로 흡수되어 자취를 감췄다.

이어지는 짧은 대답.

"그렇다. 환골탈태, 가히 기적과 같은 그 성취를 바탕으로 용심마단 고유의 어두운 힘을 제대로 다스리는 법을 깨우쳤지. 바로 용신의 진전을 이으신 검 교두님의 깊은 안배로."

그 말을 들은 섬맹의 동공 위로 작은 파문이 스쳐 지나갔다.

'크음, 또 검무영 네놈 짓이냐!'

대업을 이루는 데 있어 검무영이 최대 걸림돌이 될 존재
란 것은 이미 예견한 바였으나 오직 그 한 명만 처리하면
아무런 문제도 없을 거라고 여겼다.

안일한 생각이었다.

예상치 못한 힘을 얻게 된 묵진겸으로 말미암아 예의 판
단이 무참히 어긋나 버렸다.

수마인처럼 변하지 않은 그 외형만 봐도 예사롭지 않은
무력을 발휘할 것임을 분명히 알 수 있었다. 아마도 환골탈
태의 성취가 그에 막대한 영향을 끼쳤으리라.

'이제 우리가 각별히 경계해야 할 존재는 검무영 한 명
만이 아닌 상황이 되었구나!'

솔직히 용문검황 천무외가 주도하는 중인 사천 지역의
대전은 별 걱정이 들지 않는데, 당장 자신이 책임을 지고
있는 한중 지역의 싸움이 문제였다.

묵진겸이란 새로운 변수와 더불어 강호 무림 연합 전력
을 상대로 압도적인 승리를 이끌지 못하면 향후 대업의 행
보가 위태로운 지경에 빠지고 말 것이다.

무엇보다 정예 전력끼리 맞부딪치는 혈전이라 인원의 손
실은 물론이고 상위 고수진의 희생을 최소한으로 줄여야

차후 계획에 큰 차질이 생기지 않을 것이었다.

일부러 아껴 둔 최고의 전력을 꺼내야 할 시점이 도래했다.

바로 저 후방에 대기하고 있을 수마인 무리.

애당초 강선림 일동을 비롯해 기존의 용신부 소속 검수들, 그리고 굴종의 맹세를 한 마도 무림의 여러 세력만 가지고도 충분할 것이라 의심치 않았는데 혹시 모를 다른 변수가 발생하기 전에 수마인들 힘을 빌려 미리 싹을 잘라 놓아야 안심이 될 듯싶었다.

'자못 굴욕적이군. 내가 용심마단의 힘을 일찍 이끌어 낸 것도 모자라 수마인들 투입 시기를 이토록 빨리 앞당기게 될 줄이야…… 너희를 얕본 내 불찰이다. 그래, 싫지만 인정하지!'

섬맹이 그렇게 생각한 순간.

쉬이잉— 퍼엉……!

먼 저편의 하늘로부터 번쩍이는 섬광이 터져 나오며 잿빛 연기를 퍼뜨리자 그의 낯빛이 다시 한 번 돌처럼 굳었다.

'아니, 벌써?'

반대 진영의 폭죽 신호 앞에 당혹감을 감추지 못하는 기색이다.

어지간한 일이 아니면 먼저 신호탄을 쏘는 것은 삼갈 텐데, 뭔가 일련의 상황이 아주 어렵게 돌아가고 있는 모양이었다.

"갈! 우리가 모르는 여러 가지 꼼수를 준비한 모양이구나!"

노성을 토한 섬맹이 즉각 상승 내공을 운용하자 콰쾅! 하는 굉음과 함께 방원 삼십여 장의 지면이 어지러운 금을 그렸다.

직후 묵진겸이 살기 가득한 눈빛을 뿜으며 나지막이 말하기를.

"꼼수? 표현이 우습군. 그저 강호 무림의 저력을 함부로 깔본 대가이니라."

뒤이어 머릿속으로 한 사람의 목소리가 떠올랐다.

　—그대로 두었다면 넌 분명히 끔찍한 괴물로 화하고 말았을 것이니, 검초로 이성을 되찾게 만들어 준 내게 고개 숙여 감사하도록 해.

예전에 검무영이 했던 말.

그때 군율이 시전한 전음입밀이 귓전을 불쑥 침범해 들었다.

『제가 짐작건대 붕백 속에 담긴 초대 성주님의 숨은 안배까지 얻으신 것이지요?』

묵진겸도 즉각 전음입밀로 화답했다.

『훗…… 심어와 같은 그 목소리를 너도 들었던 게로구나.』

『예, 사부님. 이미 아시다시피 제 힘이 새로이 증가한 것도 그 때문입니다.』

별안간 섬맹이 두 다리를 놀려 느릿한 전진을 시작하는데.

쿵, 쿵, 쿵, 쿵……!

그가 한 발짝씩 나아갈 때마다 땅이 큰 울림을 발하며 운명을 건 혈투의 긴장감을 고조시킨다.

질세라 묵진겸도 마주 걸음을 옮기며 붕백의 칼자루를 힘 있게 고쳐 잡았다. 그런 후 저편에 선 군율을 향해 전음입밀의 수법으로 일렀다.

『나는 이제 최대 공력을 발휘해 그를 상대할 것이야. 기실 이 어두운 힘을 다스리는 데엔 시간의 제약이 따른다. 만에 하나 그 한계에 이르렀을 시엔 네가 새로이 터득한 검초가 필요할 것이다. 이 몸이 방심하지 않는 한 기회는 반드시 온다. 그러니 잠자코 때를 기다리거라.』

그러곤 군율이 뭐라 대답하기도 전에 발바닥의 용천혈로

내기를 폭사했다.

꽈아앙!

큰 소리를 울리며 둥근 형태로 움푹 꺼져 내리는 지면.

순식간에 간극을 압축한 묵진겸의 우수가 위로 번쩍 들리더니 빛살을 머금은 붕백이 상대의 머리 위를 노려 날카로운 직선을 내리그었다.

슈카아악—!

섬맹 역시 그 검격에 맞서 두 손에 쥔 야도를 위로 빠르게 휘둘러 교차했다.

쩌어어어어어엉— 꽈우우우우우웅!

요란한 폭음이 터져 나오며 찬란한 기파의 잔해가 사위로 파문처럼 번지고.

쿡.

쌍도를 쳐들었던 섬맹은 그만 왼쪽 무릎을 땅에 세게 찧고 말았다.

붕백이 내뿜은 예상 이상의 육중한 검력 때문이다.

'읏······!'

자연스레 일그러지는 섬맹의 표정.

극성의 내공을 운용 중인 묵진겸은 여세를 몰아 재차 종단의 참격을 구사했다.

쐐애애애애액!

섬맹은 즉각 무릎을 꿇지 않은 한쪽 다리를 이용해 땅을 박차며 신형을 뒤로 물렸고 붕백은 간발의 차이로 표적을 놓친 채 예의 자리를 깨부쉈다.

콰직, 콰지직!

동시에 지면을 두드린 붕백의 칼날로부터 어마어마한 경력이 큰 폭발을 일으키며 광범한 형태로 터져 나오는데.

슈슈슈슈슈슈슈슈슛!

흡사 수십 마리의 붕조처럼 전방으로 일제히 뻗어 나가는 가공스러운 검기들.

붕군파상격.

대붕천심검법의 절초 중 하나인 대붕조익난검무와 일맥상통하는 묘용을 가진 상승 초식이다.

몸을 뒤로 빼던 섬맹은 붕조 떼가 쇄도하는 듯한 검기의 파도에 맞서 쌍수를 쾌속하게 내질렀고 각 칼날로부터 백색 도기가 무수히 발출되었다.

쏴아아아앗, 쏴아아아아앗!

환우벽개도식의 강력한 도초인 멸우교란도영.

그렇게 고강한 검력과 도력이 한데 어우러져 충돌하자 수십 개의 포탄이 한꺼번에 터지는 듯한 굉음이 일대 공간을 사납게 뒤흔들었다.

콰콰콰콰쾅, 콰콰콰콰콰쾅, 콰콰쾅—!

붕군파상격과 멸우교란도영이 삽시에 소멸하자마자 자세를 고친 섬맹의 쌍도가 예리한 풍성을 연주하며 앞을 향해 횡단의 궤적을 그렸다.

후우우웅, 후우우웅!

눈 깜짝할 사이에 간극을 좁혀 드는 엄청난 크기의 백색 도기들.

환우벽개도식의 상승 도초인 태공벽파쌍격(太空劈破雙擊)이다.

묵진겸이 신속히 붕백을 내찌르자 미끈하게 뻗은 검신을 따라 대붕의 발톱과 같은 거대한 검기가 뿜어져 나왔다.

쏴아아아아아아앙—!

대붕천심검법의 찌르기 초식인 대붕괴조섬이었다.

퍼어어어엉, 꽈르르르릉……!

두 초인의 거센 공력이 다시 한 번 맞부딪치자 산천초목 전체가 마구 흔들리는 듯한 느낌이다.

섬맹이 곧 보법을 밟고 돌진했다.

타타타타타타타타!

눈동자를 번뜩인 묵진겸도 마주 두 다리를 놀려 상대를 향해 나아갔다.

타타타타타타타타!

급속도로 거리를 좁힌 두 초인은 누가 먼저라 할 것도 없이 병기를 강하게 휘둘러 검기와 도기를 발출했다.

쐐액, 쐐애액— 꽈광, 꽈과광!

귓전을 사납게 때리는 폭성이 큰 메아리를 울린 찰나 묵진겸과 섬맹의 병기는 이미 다음 초식을 전개하는 중이었다.

날카롭게 좌우를 노려 곡선을 그리는 쌍도.

슈아아앗, 슈아아아앗!

새하얀 도기 두 가닥이 마치 맹수의 이빨처럼 상대 몸의 양쪽 요혈을 노리고 든다.

고강한 도초에 맞선 묵진겸의 붕백이 원호를 그리자 까가강! 하는 쇳소리와 동시에 시끄러운 파공음이 터져 나왔다.

퍼어엉— 퍼어엉—!

투명한 기파의 잔해가 빠르게 흩어지는 가운데 묵진겸이 우수에 들린 붕백을 횡으로 휘두르자 대붕의 형상을 한 거대한 검기가 간극을 격해 나아가며 어마어마한 풍성과 압력을 토했다.

쿠콰콰콰콰콰콰콰!

대붕천심검법의 삼대 절초 대붕파각령.

섬맹은 잽싸게 쌍도를 가슴 앞에 교차해 상승 내공을 발휘한 방어세를 취했고 예의 검세가 그 위를 강하게 두드렸다.

퍼퍼퍼퍼퍼퍼퍼펑!

호홀지간 가공스러운 검력에 의해 섬맹의 신형이 일 장 뒤로 세게 튕겨 나갔다.

치이이이이이잇—!

발바닥으로 지면을 세게 긁는 소리가 울리고.

"큼!"

짧은 음성을 발한 섬맹이 재빨리 균형을 잡고 서며 관자놀이 위로 굵은 핏대를 세웠다.

그때 비붕탈영술을 전개한 묵진겸이 눈 깜짝할 사이 거리를 압축해 그 앞으로 가더니 붕백을 쾌속하게 내리그었다.

슈카아악!

위에서 아래로 뚝 떨어져 내리는 육중한 검격.

절초 대붕낙혼세.

부우욱!

검기를 머금은 칼날이 살갗을 깊이 가르는 섬뜩한 음향과 함께 선연한 핏줄기가 비릿한 향을 풍기며 높이 솟구쳤다.

"끄흐윽……!"

섬맹은 체내 모든 신경을 헤집고 드는 화끈한 통증에 괴로운 소리를 내뱉었다.

지면을 두드리는 빗방울처럼 후두둑! 떨어져 내리는 핏
물.

묵진겸이 펼친 종단의 참격 절초 대붕낙혼세는 그 상체
에 사선의 검상을 아로새김과 동시에 내상까지 입혔다.

소름 끼칠 만치 서늘한 예기를 머금은 붕백이 재차 바람
을 가르고.

슈아앗―!

횡으로 곡선을 그리는 날을 따라 붕조의 뾰족한 부리와
같은 거대 검기가 매섭게 쏘아져 나간다.

거붕훼형검(巨鵬喙形劍).

대붕천심검법의 상승 초식들 중 하나.

비록 최상승 기예인 삼대 절초는 아니라도 극성의 공력
이 실린 장중한 검세였다.

차카하앙―

귀청을 찢는 듯한 쇳소리에 이어.

쿠우우우우우웅……!

묵직한 폭성이 일며 일대 공간이 투명한 기파의 잔해에
휩싸인 채 세찬 떨림을 일으켰고, 거붕훼형검을 가까스로
방어한 섬맹의 신형은 드센 반탄지력에 의해 이십 보 뒤로
빠르게 밀렸다.

묵진겸이 다시 비붕탈영술을 펼쳐 그 전면으로 바짝 육박하더니 우수의 붕백을 쾌속하게 내리그었다.

슈우우우웃—!

앞서 피 맛을 본 절초 대붕낙혼세가 또 한 번 날카로운 파공음을 터뜨리며 상대의 몸통을 사납게 노려 간다.

두 눈을 부라린 섬맹도 질세라 쌍도를 앞으로 휘둘러 묵진겸의 검세를 막기 위한 도기를 내뿜었다.

슈슈슈, 슈슈슈슈—!

고강한 내력을 품은 채 반듯한 선을 그으며 십자 모양으로 교차하는 두 줄기의 빛살.

환우벽개도식 내 절초인 패천십자광령인(覇天十字狂逞刀)이다.

콰아아아아아아앙!

서로의 병기가 한 치의 양보도 없이 세게 충돌하며 굉음의 메아리를 울리는 와중에 돌연 예리한 소리가 터져 나왔다.

쐐애애애애액!

그리고 찰나의 틈을 두고 이어지는 듣기 거북한 음향.

츄하앗—!

이번엔 묵진겸의 신형으로부터 기다란 핏줄기가 솟구치더니 땅 위에 붉은 흔적을 남겼다.

그 모습을 본 군율, 동리을홍 등은 저마다 초조한 눈빛으로 주먹을 불끈 쥐었다.

'이런! 역시 녹록한 상대가 아니구나!'

일련의 성취를 통해 절륜한 무력을 발휘 중인 묵진겸의 공세 앞에 부상을 당한 상태로 저렇듯 반격을 가한 것만 봐도 사해쌍도황이란 별호의 위엄은 충분히 증명이 된 셈이다.

강맹한 도초에 의해 묵진겸은 왼쪽 어깨를 시작으로 팔뚝까지 길게 이어진 자상을 입었고 일부 기맥마저 진탕되고 말았다.

'큭……!'

인상을 찡그린 묵진겸이 날렵한 뒷걸음질로 거리를 벌리는 가운데 섬맹은 이 기회를 놓칠 수 없다는 듯 발바닥으로 지면을 밀었다.

팍!

흙먼지를 비산시키며 매섭게 돌진하는 신형.

단숨에 상대 정면으로 쇄도한 섬맹이 거듭 패천십자광령인을 구사했다.

슈슈슈, 슈슈슈슈—!

호흡지간 묵진겸도 내공을 최대한으로 이끌어 낸 절초 대붕파각령으로 맞섰다.

퍼퍼퍼퍼퍼퍼퍼펑!

지축을 마구 뒤흔드는 굉음, 몸 위로 치솟는 방울방울의 피. 그 일합의 겨룸으로 인해 묵진겸과 섬맹의 부상은 한층 악화되고 말았다. 하지만 두 초인은 맹렬한 칼부림을 멈추지 않았다.

챙, 채챙, 챙― 꽈과광, 꽈광― 펑, 퍼허엉……!

연속적으로 터져 나오는 시끄러운 소리가 숨을 고를 틈조차 없는 공방전을 대변하고 있다.

묵진겸과 섬맹은 확실한 우위를 점하고자 초식을 뿌릴 때마다 체내 공력을 아낌없이 퍼부었고 잠깐의 시간 동안 무려 삼십여 합을 지나쳤다. 또한 그로 인해 서로의 몸엔 붉은 선을 마구 그어 놓은 것 같은 상처가 눈에 띄게 늘어났다.

뒤이어 두 초인이 병기를 휘둘러 십여 합을 추가로 교환했을 때.

꽈르르르릉!

엄청난 폭음과 함께 묵진겸의 신형이 후방으로 세게 튕겨 나가 섰다.

"우욱!"

결국 내상의 각혈을 억누르지 못한 그.

입꼬리를 히죽 올린 섬맹은 더 생각할 것도 없이 신쾌한 보법을 밟아 상대의 정면으로 질풍처럼 나아갔다.

파파파파파파—!

대략 십 보 남짓한 거리.

섬맹의 두 손에 들린 한 쌍의 야도가 끝장을 보리라는 기세로 종횡의 거대한 도기를 토했다.

슈아아아아아아아—!

환우벽개도식 궁극의 도초 쌍천광류멸인도(雙天光流滅人刀)였다.

도기의 가공스러운 위력을 방증하듯 그 행로를 따라 지면이 길게 쩌저적! 갈라지며 괴로운 통성을 내지른다.

묵진겸도 즉각 내공을 무리하게 운용해 검초를 구사하고.

슈슈슈슈슈, 슈슈슈슈슈!

대붕의 날개를 닮은 무수한 기류가 붕백의 날을 따라 치솟기가 무섭게 정면의 쌍천광류멸인도를 향해 뻗어 나갔다.

쏴아아아아아아앗—!

대붕성 검학의 정수라는 절초 대붕조익난검무.

흡사 수백 개의 검이 한데 회오리치는 듯한 그 검세는 단지 눈동자에 담는 것만으로 전신이 조각조각 잘려 나가는 것 같은 기분마저 들 만큼 경이로웠다.

퍼버버버버벙, 퍼버버버버버벙, 퍼버버벙······!

쌍천광류멸인도와 대붕조익난검무가 간극을 좁혀 충돌한 직후에.

파아아아아아아아······!

엄청난 반탄지력이 터져 나와 묵진겸의 신형을 뒤쪽으로 세게 밀었다.

꿍!

그가 한 바위에 등을 처박은 순간.

쐐애액!

어느새 앞으로 육박한 섬맹이 쌍도를 아래로 빠르게 그었다.

묵진겸은 신형을 추스를 새도 없이 자신의 뇌천을 노리고 드는 쌍도에 맞서 붕백을 마주 쳐올렸다.

까아아아아아아앙!

귓전을 울리는 쇳소리와 동시에.

끼긱— 끽, 끼기긱—!

서로의 병기가 예리한 나신을 맞댄 상태로 힘을 겨루자 듣기 거북한 마찰음이 일었다.

한데 그때.

ㅊㅊㅊㅊㅊㅊㅊ—!

묵진겸의 체외로 번쩍이는 기류와 시커먼 연기가 한데

섞여 발출되더니 커다란 대붕의 형상을 갖췄고, 이내 큰 날개를 활짝 펴듯이 움직여 섬맹의 몸을 완전히 감쌌다.

'윗! 이 무슨……?'

당황한 섬맹은 전신을 옥죄는 엄청난 압력 앞에 거듭 최대 공력을 발휘해 좌수를 놀렸다.

푸우욱—!

도극이 묵진겸의 배를 관통하는 소리였다.

"커헉!"

괴로운 신음을 발하며 피를 왈칵 쏟는 묵진겸.

하나 정작 그가 펼친 예의 기이한 기운은 아무런 흔들림조차 없다. 아니, 오히려 더욱 강대한 압력을 선사해 올 따름이다.

'큭…… 어딜 감히!'

섬맹은 연신 단전을 세차게 돌려 무형의 고강한 내력을 내뿜었지만 그 힘을 벗겨 내기가 쉽지 않았다.

별안간 머릿속을 휙 스쳐 지나가는 불길한 생각.

'놈, 설마 동귀어진……?'

아니나 다를까 묵진겸이 핏발이 선 눈으로 중얼거렸다.

"끄…… 너를…… 저승길 동무로 삼겠다."

현재 그가 시전한 대붕 형상의 기류는 바로 붕백 속에 숨어 있던 초대 성주의 안배를 통해 터득한 절대 봉인의 신력

이었다. 그에 더해 용심마단의 기운까지 조화시켜 너무나
도 견고한 묘용을 발휘 중이었다.

섬맹이 가까스로 우수를 놀려 남은 도마저 상대의 옆구
리로 강하게 찔러 넣자.

푸우욱―!

묵진겸이 재차 괴로운 소리를 내지르며 몸을 부들부들
떨었다.

"으허어억……."

그렇지만 그도 그냥 당하고 있지 않았다.

슈웃― 부우욱!

붕백의 뾰족한 검극이 좌측 허벅다리의 요혈에 쑤셔 박
히자 섬맹의 신형이 균형을 잃고 옆으로 급격히 기울었다.

"끄악!"

그가 날카로운 통성을 터뜨린 찰나.

파파파파파― 파파파파파파―!

붕무전주 동리을홍, 붕혼전주 맹초, 백붕전주 귀조, 위붕
전주 민포, 소붕전주 열문함이 빠른 운신으로 곁에 나타나
저마다 검을 내질렀다.

푹, 푸욱, 푹, 푸우욱……!

전주들 칼이 정확히 다섯 군데의 사혈을 깊이 찌르자 섬
맹이 날카로운 비명을 길게 내질렀다.

"크아아아아악!"

그런데 기습에 성공한 동리을홍 등은 안색이 크게 흔들리며 당혹감을 감추지 못했다.

'괴, 괴물……! 사혈 다섯 군데를 한꺼번에 찔리고도 즉사하지 않다니!'

별안간 묵진겸이 사력을 다해 외쳤다.

"율! 지금이 기회다!"

직후 저편에 자리한 군율이 내공을 극성으로 이끌어 내며 우수를 쭉 뻗자 붕익이 새처럼 쾌속하게 날아갔다.

섬맹의 등 뒤를 향해 쇄도하는 새하얀 칼날을 따라 번쩍이는 기광이 일더니 한 마리 대붕이 날개를 좌우로 편 채 발톱을 세워 비상하는 듯한 형상으로 화하고.

콰아아아아아아아아—!

사방 공간을 떨쳐 울리는 어마어마한 파공음.

초대 성주의 안배로 어렵사리 깨달은 천붕어검도의 새로운 절초 천붕만리황(天鵬萬里荒)은 그대로 섬맹의 등판 정중앙을 강타했다.

콰드득, 콰득, 콰드득— 푸학, 푸하아악, 푸하악, 푸학……!

뼈가 부서지고 살갗이 모조리 찢겨 나가는 섬뜩한 음향, 그것은 곧 사해쌍도황으로 불리며 강호 무림의 전설적인 존재로 군림했던 섬맹의 끔찍한 최후를 알리는 소리였다.

*   *   *

철무련을 비롯한 정파, 사파 연합 전력의 분투 앞에 용신부 무리는 어느덧 삼분지 이 가까이 전사한 상태였다. 게다가 그 수뇌부도 존자 반열인 유성검신 임총, 신무불 해각, 환우비영신 좌헌 등 고수진의 합격에 의해 차례차례 목숨을 잃고 말았다.

무엇보다 용신부 입장에선 동룡정 유령검조 구정의 죽음이 큰 타격인 것을.

앞서 그는 용심마단의 힘을 이끌어 내 임총 등 세 존자와 겨뤘지만 끝내 압도적인 우위를 점하지 못하고 결국 저승길로 떠났다.

물론 존자 반열의 강자들 또한 저마다 크고 작은 부상을 떠안은 상태였고 휘하 무인들 희생자 수도 엄청났지만 적진의 우두머리 중 하나인 구정을 무찌름으로써 정파, 사파 전체의 사기는 가히 하늘을 찌를 듯했다.

신호탄을 쏘아 올린 장본인 남룡정 신화검공 문수는 재빨리 눈알을 굴려 불리한 전황을 살피곤 이를 빠드득! 갈았다.

'제기랄! 당초 예상 이상으로 큰 피해를 입었다! 이래선 차후 검황을 뵐 면목이 없잖은가!'

그러곤 전방에 있는 존자 반열 강자들 모습을 시야에 담으며 한층 짙은 살기를 내뿜었다.

'사상존인 흑운무궁주와 남궁세가주가 여태껏 모습을 드러내지 않고 있다는 점이 마음에 걸리는구나! 필시 또 다른 암수를 준비하고 있음이 분명할 터! 큼, 상황이 좋지 않다! 어서 빨리 수마인 무리가 이곳에 합류해야……'

바로 그 순간.

두두두두두, 두두두두두, 두두두두두두……!

지축을 흔드는 묵직한 소리가 들리더니 저 멀리로부터 방대한 흑색 기류가 거대한 덩어리를 이뤄 다가오는 광경이 보였다.

문수의 얼굴에 금세 화색이 감돌고.

'왔구나!'

때마침 수마인 무리가 드디어 이 전장으로 돌진해 오고 있는 것이다.

그때.

멀지 않은 곳으로부터 수많은 군마가 질주하는 듯한 소리가 울리더니 이내 누군가의 천리전성이 사위를 쩌렁쩌렁 울렸다.

『우리가 막을 테니 어서 움직이시오!』

그 울림이 끝나기가 무섭게 흑운신패 태사진을 위시한 흑운무궁의 정예 철기 부대가 수풀을 빠르게 헤치고 등장했고, 창궁검존 남궁시성이 이끄는 남궁세가 검수들 또한 바람처럼 운신해 핏빛 전장 내로 발을 들였다.

동시에 임총이 주변의 일행을 향해 목청을 돋워 소리쳤다.

"일차 임무가 끝났다! 전원, 빙염시와 빙옥군이 있는 곳으로 퇴각하라!"

第五章
부서지는 기둥들

　청풍검문을 에워싼 용신부 산하 세 개 검단의 검수들, 그
리고 새외 마인 수백 명은 각기 강맹한 손속을 놀려 만년한
철로 제작된 두꺼운 벽면을 쉴 새 없이 두드렸다.

　콰쾅, 쾅, 콰콰쾅, 콰쾅, 쾅……!

　육중한 굉음이 사위로 울려 퍼질 때마다 거무스름한 벽
면의 매복 기관진이 발동하고.

　드르르르륵, 드르르르르륵— 슈슈슈슈슈, 슈슈슈슈슈슈,
슈슈슈슈—!

　만년한철로 만든 각종 암기가 날카로운 파공음을 터트리
며 근거리의 적을 향해 매섭게 쏟아진다.

"컥!"

"으아악!"

"크흑!"

잇달아 들리는 단말마의 비명들.

기관진이 무수히 발출한 암기들 앞에 적은 무려 오십여 명이 넘는 사상자가 나왔다.

그렇듯 일련의 암기 발사 장치는 당대 최고의 철장 당능 통의 절륜한 솜씨를 방증하는 것처럼 탁월한 살상 능력을 과시했다.

검수들 중 일부가 삼삼오오 조를 이뤄 벽에 바짝 붙은 다음 경공술을 이용한 월담을 시도해 봐도 결과는 마찬가지였다.

수십 명이 일제히 내공을 운용하며 높이 도약하자마자.

쉬쉬쉿, 쉬쉬쉬쉬쉿, 쉬쉬쉬쉬쉬쉿, 쉬쉬쉬쉿—!

예리한 음향과 동시에 시커먼 강전을 비롯해 단검, 소도, 비표 따위가 마구 치솟아 적들 몸통에 깊이 쑤셔 박혔다.

털썩, 털썩, 털썩……

피를 흩뿌리며 지면 위로 떨어져 내리는 검수들 시신을 본 충룡검단(忠龍劍團)의 단주가 분을 참지 못하고 노성을 내질렀다.

"젠장!"

청풍검문 터를 짓밟기 위해 용심마단의 힘을 이끌어 내고도 별 성과 없이 전력 손실만 잇달아 발생하고 있으니 의당 심기가 흔들릴 수밖에.

무엇보다 만년한철이 골칫덩어리였다.

사방의 벽은 그렇다 쳐도 각종 암기마저 동일한 재질이라 그걸 감당하자니 여간 까다로운 일이 아니었다.

여느 철재는 감히 견줄 수조차 없는 견고함과 더불어 극저온 지층에서 일만 년 이상을 묵은 영향으로 엄청난 한기를 품고 있어 적들 모두 내공 소모가 상당히 컸다.

무릇 만년한철로 만든 병기는 그 고유의 한기 때문에 내공 화후가 깊은 초일류 고수가 아니면 다루기가 힘든 법인데, 그걸로 온갖 종류의 암기를 제작해 폭우가 퍼붓듯 뿌려대도록 모종의 발사 장치를 안배해 놓았잖은가. 그러니 기관 장치가 발동될 때마다 상당량의 체내 공력이 깎이는 건 당연한 일이었다.

'큼, 이런 황당무계한……! 각종 암기마저 만년한철로 제작하다니…… 혹 엄청난 양의 만년한철이 매장된 광맥이라도 발견한 건가?'

충룡검단주가 속으로 중얼거리며 시뻘건 두 눈을 부라린 그때.

쫘우우우우웅— 쩌저저저저적!

대룡검단(大龍劍團)과 악룡검단(惡龍劍團)이 큰 희생을 치른 끝에 비로소 벽 일부를 무너뜨리는데 성공했다.

균열을 일으키며 빠르게 갈라지는 철벽.

그것을 시작으로 붕괴된 지점의 좌우 벽면도 둔탁한 소리를 발하며 급격히 기울었고, 쿠쿵! 하는 음향을 울리며 많은 인원이 진입할 수 있는 공간이 나타났다.

삐이익, 삐이익—

악룡검단주가 내력을 실은 휘파람을 불자 다른 세 방향의 벽을 공략 중이던 인원이 일시에 동작을 멈추곤 진입로가 생긴 이곳으로 모여 들었다.

직후 대룡검단주가 붉은 눈깔을 사납게 빛내며 전성으로 명하기를.

『앞장서라!』

바로 주변의 새외 마인 무리를 향한 명령이다.

말인즉 용신부 검수 일동을 대신해 일종의 화살받이 역할을 맡으란 의미인데.

그렇듯 명을 내린 이유는 오직 하나, 청풍검문이 어떤 암계를 꾸민 건지 불확실하니 마인 무리를 먼저 희생시켜 수를 파악해 보려는 속셈인 것이다.

마인들 모두 잠깐 망설이는 눈치를 보이다가 이내 뻥 뚫린 공간으로 돌진했다.

타타타타타타, 타타타타타타, 타타타타타타타—!

용신부의 깃발 아래 굴종의 맹세를 한 마당에 이래 죽으나 저래 죽으나 어차피 똑같으니까. 이제 와서 망설여 봐야 상황이 나아질 가능성은 없다.

보법을 밟은 마인 무리가 일사불란하게 움직여 내부로 사라지자 충룡검단, 대룡검단, 악룡검단도 그제야 뒤를 따라 빠르게 나아갔다.

안으로 든 그들 시야에 청풍검문 내부의 널따란 연무장이 가득 담겨 들고.

'음?'

대룡검단주를 비롯한 수뇌부의 붉은 동공이 의문의 빛을 머금었다.

청옥석이 깔린 연무장 저편에 여유 넘치는 자세로 병풍처럼 도열해 있는 초등생들 모습을 발견한 까닭이다.

게다가.

장중한 무형의 기도를 자랑하는 오십 대 사내가 예의 초등생 일동을 등 뒤쪽에 두고 멀찍한 앞에 오롯이 서 있는 것도 보인다.

근엄한 인상을 풍기는 외형에 은빛 나뭇잎 문양이 수놓인 회색 장포를 몸에 두른 범상치 않은 인물.

대룡검단주, 충룡검단주 등을 비롯한 적들 모두는 그 정체를 단번에 알아차렸다.

'파천신군……!'

상대의 정체는 당금 강호의 존자들 중 한 명인 진천당가주 당효악이었다.

호홉지간 일대 지면과 대기가 세게 진동하고.

쿠쿠쿠쿠쿠쿠, 쿠쿠쿠쿠쿠쿠……!

당효악의 신형을 중심으로 강대한 무형지기가 발출되어 장내를 무겁게 짓눌렀다.

뒤이어 그르릉, 그르릉! 하는 쇳소리가 울리더니 앞서 벽이 무너지며 드러난 빈 공간의 바닥으로부터 새로운 벽이 빠르게 치솟았다.

철컹, 철컹, 철컹, 철컹……!

적이 사력을 다해 가까스로 뚫었던 진입로는 거짓말처럼 자취를 감췄고 빈 공간을 말끔히 메운 새로운 벽은 기존의 것보다 두 배 가까이 두껍고 또 높았다.

마치 적을 이곳에 몽땅 가둬 버린 듯한 상황.

용신부 소속 검수들, 새외 마인들 표정이 흠칫 굳은 순간 서늘한 안광을 흘린 당효악이 쌍수를 좌우로 곧게 펴며 입을 열었다.

"이 순간만을 기다렸지."

적들 뇌리로 불길한 예감이 엄습한 찰나 숨조차 제대로

쉬기 어려울 정도로 위압적인 무형지기가 휘몰아치더니.

끼기기기긱, 끼기기기긱, 끼기기기긱—!

연무장 뒤편에 있는 모든 건물이 쇳소리를 일으키며 지붕과 벽에 설치된 기관 장치를 발동시켰고 그로부터 만년한철로 제작한 각종 암기가 맹렬히 폭사되었다.

투투투투툿, 투투투투투툿— 피피피핏, 피피피피핏, 피피핏— 슈슈슈슈슛, 슈슈슈슈슈슛—!

허공을 까맣게 뒤덮으며 연무장에 모인 적진을 향해 마구 쇄도하는 암기들.

동시에 당효악이 극성의 내공을 운용한 상태로 두 팔을 놀렸다.

그러자 급속도로 거리를 격해 날아들던 모든 암기가 눈에 보이지 않는 기운에 이끌려 태풍처럼 화했다.

슈아아아이앗, 슈아아아아아앗— 슈아아아아아아앗—!

진천당가를 대표하는 암기술이자 중원 무림 전체를 통틀어 최고위 반열로 꼽히는 상승 절학 만천화우가 그 위용을 드러낸 것이다.

질세라 적도 미리 약속한 방어진을 갖췄지만 그 가공스러운 암기의 태풍 앞에 휩쓸렸고, 그만 삼분지 일의 인원이 핏물을 퍼뜨리며 끔찍한 죽음을 맞았다.

별안간 당효악의 웅혼한 전성이 사방 공간을 크게 울린

다.

『검 교두님의 도움으로 진화한 만천화우이니라. 너희는
이곳에서 절대 도망칠 수 없을 것이야.』

다시 한 번 연무장 뒤쪽 건물들 전부가 시끄러운 금속성
을 연주하자 온갖 종류의 암기가 무수히 뿜어져 허공을 까
맣게 뒤덮었다.

츄츄츄츄츄, 츄츄츄츄츳— 투투투투투툿— 피피피핏,
피피피피핏— 슈슈슈슈슈슛—!

당효악이 재차 그와 연계한 극성의 만천화우를 시전하
고.

슈아아아이앗, 슈아아아아아앗— 슈아아아아아아앗—!

암기의 태풍이 적진을 휩쓸자 어마어마한 양의 피가 거
꾸로 흐르는 폭포인 양 사납게 솟구쳐 역겨운 냄새를 풍겼
다.

어느새 인원이 절반 이하로 줄어 버린 적들.

재빨리 호흡을 고른 당효악이 가문의 신물인 능우구절편
을 손에 쥐더니 우렁찬 목소리로 외쳤다.

"쳐라!"

명을 기다렸다는 듯 후방의 청풍검문 초등생 전원이 그
간 갈고 닦은 내공을 운용하며 날렵한 경공술을 펼쳐 전진
했고, 연무장 가까이에 있는 한 건물의 문이 벌컥 열리더니

삼절신편 휴경을 위시한 당문천무대와 묘장부인 단목채원이 이끄는 당문천녀대가 거센 파도처럼 빠르게 쏟아져 나왔다.

파파파파파, 파파파파파파……!

*　　*　　*

꽈과과과광!

일대 공간을 무너뜨릴 듯한 폭성.

"읏!"

짧은 신음을 발한 홍간무황 진조가 뒤로 세게 튕겨 나더니 널따란 바위에 등짝을 쿵! 처박고는 지면에 엎어졌다.

'크윽, 이러한 힘이라니……!'

커다랗게 변모한 마운파초선이 내뿜은 독풍에 맞섰지만 그 육중한 힘을 감당하지 못하고 반탄지력에 밀린 것이다.

운몽향아는 어느새 보법을 밟아 그 지척으로 가더니 우족을 번쩍 들어 상대의 머리통을 밟아 부수려 했다.

화들짝 놀란 진조는 즉시 몸을 옆으로 굴려 피했고 그녀의 발바닥이 간발의 차이로 예의 자리를 강하게 눌렀다.

꽈드득, 쩌저저저저저…….

방대한 거미줄을 그리며 비명을 토하는 지면.

만약 피하지 못했다면 두골이 깨지고 말았으리라.

벌떡!

신형을 일으켜 세운 진조는 황급히 경공술을 펼쳐 뒤쪽으로 물러났다. 그 심경을 대변하듯 이마엔 무수한 식은땀이 송골송골 맺혀 흔들림을 자아냈다.

'크으음! 개화극독요신공…… 참으로 엄청난 독공 무학이로구나!'

전신이 분홍빛으로 물든 운몽향아가 좌수로 머리칼을 쓸어 넘기더니 나지막한 목소리로 경고했다.

"너는 앞으로 십 초도 못 버틸 거야."

말이 끝나기가 무섭게 한층 강대한 무형지기가 일대 공간을 휘감고 든다.

쿠우우우, 쿠우우, 쿠우우우우…… 우르르릉, 우르르르릉……!

아마도 개화극독요신공을 기반으로 한 절초를 펼쳐 보이려는 모양이었다.

진조는 비천홍간을 새로이 고쳐 잡으며 발악하듯 외쳤다.

"내 동귀어진을 불사하는 한이 있더라도 널 반드시 죽여 없앨 것이야!"

그렇게 노성을 발한 그가 단전을 빠르게 돌리자 신형 주위로 기이한 빛깔의 아지랑이가 번져 나왔다.

치치치치치치치치치치……!

천행무간법 내 비장의 초를 준비하는 것이다.

'치욕스럽구나! 설마 이 기예까지 꺼내 들 줄은 몰랐다! 하나…… 이 초식을 운용한 이상 넌 죽음을 면할 수 없지!'

속으로 중얼거린 진조가 비천홍간을 비스듬히 세워 들자 돌연 운몽향아가 고혹적인 미소를 머금으며 말했다.

"어머, 자꾸 어딜 보고 있는 거야? 지금 이 모습이 실상인 줄 착각하나 보네."

"……!"

진조의 낯빛이 창백하게 굳은 순간 전방에 자리한 운몽향아가 눈 깜짝할 사이에 수십 명으로 늘어났다.

이어지는 그녀의 부드러운 음성.

"꼴 같지도 않은 낚시는 지옥에 가서 마저 하렴."

진조의 동공이 물결처럼 출렁거린다.

'이럴 수가, 어느 틈에……!'

경악과 함께 흡사 벼락을 맞은 듯 저릿저릿한 전율이 등골을 타고 흘러 백해로 퍼져 나갔다.

방금 전 귀에 와 닿은 목소리는 한 명의 것이 아니었다. 놀랍게도 자신의 시야를 가득 채우고 든 수십 명의 운몽향아가 동시에 입을 열어 똑같은 말을 내뱉었다.

예의 기현상이 의미하는 바는 오직 하나, 바로 환술이다.

타인의 뇌력을 지배해 허상을 마치 실제인 양 착각하게 만드는 그 사이한 기예에 부지불식간 당하고 만 것이었다.

당황한 진조는 눈알을 굴리더니 턱의 힘줄을 당기며 어금니를 꽉 깨물었다.

'크음, 내가 환술 따위에 당할 줄이야!'

운몽향아의 주된 기예는 누구도 따를 수 없는 경지를 자랑하는 독술이고 흔히 사류의 잡기로 치부하는 환술은 단지 보조적인 공부라 여겼는데, 지금 이 순간 비로소 그것이 섣부른 오판임을 깨달았다.

진조의 흉중에 두려움이 깃들기 시작했다.

극성의 내력으로 기감을 돋워 봐도 허상들 중에 섞여 있을 진짜 운몽향아의 기척를 간파해 내기가 힘들었기 때문이다.

그때 수십 명의 운몽향아가 병풍처럼 일렬로 펼쳐 서더니 저마다 체외로 분홍색 독기의 아지랑이를 퍼뜨렸다.

스스스, 스스스스, 스스스……

그것을 본 진조의 눈동자가 다시 한 번 투명한 파문을 일으켰다.

홍간무황이라 불리며 큰 명성을 쌓은 이후로 기나긴 세월을 격한 작금의 시대에 이르기까지 온갖 유형의 강자를 무수히 상대해 봤지만 이토록 완벽한 환술은 경험해 본 적이 없었다.

그렇기에 예의 두려움은 급속도로 커져 주체할 수 없는 지경으로 치달았고 일신의 무력에 대한 자신감마저 파도에 휩쓸린 모래성처럼 무너지는 중이었다.

마음이 흔들리면 몸도 따라 흔들리는 법, 그 사실을 방증하듯 비천홍간을 움킨 우수가 연신 미약한 떨림을 자아내고 있다.

하나 이대로 가만히 당하고 있을 수는 없다.

기껏 준비한 천행무간법 내 비장의 초를 이대로 접어 버린다면 '황'의 칭호가 가진 고유의 위엄을 더럽히는 겁쟁이로 전락하게 될 것이다.

두 눈을 부라린 그는 곧 오른팔을 측방으로 곧게 폈다. 그러자 비천홍간의 긴 줄이 허공에 뜬 채로 마치 물속에 잠긴 것처럼 느릿느릿하게 움직이며 나선 모양을 만들었다.

직후 날카로운 음향이 한층 세게 터져 나오고.

치치치치치, 치치치치치치—!

신형 주위를 맴돌던 기이한 색의 아지랑이가 비천홍간 전체를 감싸더니 빙글빙글 세차게 회전했다.

'여하간 저 수많은 허상들 가운데 분명 실체가 있을 테니 한꺼번에 휩쓸어 버리는 수밖에……!'

이내 우수가 전방을 향해 빠른 궤적을 그리자.

취리리리리리리리릿— 쿠아아아아아아아아!

비천홍간의 줄을 이룬 천령사가 나선 형태 그대로 번쩍이는 돌풍과 같은 거대한 백색 기류를 내뿜었다.

만해출횡백번공(萬海出橫白繁功).

일수에 극성 공력을 발휘한 비장의 초.

그렇게 만해출횡백번공이 간극을 압축해 수십 명의 운몽향아를 뒤덮은 찰나 그 공간이 투명하게 일그러지며 사나운 폭음과 괴로운 통성이 연속적으로 터져 나왔다.

꽈과광, 꽈광— 꽈과과광, 꽈과광, 꽈광—!

"아악!"

"으어억!"

"커컥!"

한데 여인의 것이 아닌 사내들 비명이다.

흠칫 놀란 진조는 불길한 예감에 휩싸였다.

'무슨……?'

아니나 다를까, 앞서 투명하게 일그러지던 주변 풍광이 바뀌더니 수십 명의 운몽향아가 서 있던 자리에 피투성이가 된 용신부 소속 검수 무리가 시신으로 화해 널브러진 모습이 보였다.

'내 시야의 공간 전체가 허상이었나!'

진조의 온몸에 소름이 돋은 순간 등 뒤쪽으로부터 육중한 기파가 쇄도해 왔다.

퍼어어어어어어엉!

사위를 뒤흔드는 파공음과 동시에 충격을 받은 진조의 신형이 빛살처럼 튕겨 날아가 지면에 쿵! 쑤셔 박혔다.

"끄흐으……."

신음을 발하는 그의 피부가 돌연 분홍빛으로 물들기 시작한다. 뒤이어 살갗이 방울방울 부풀며 마치 기포에 뒤덮인 것처럼 변하는데.

이는 가공스러운 독기에 의한 중독 현상.

방금 전 등짝을 강타한 것은 바로 운몽향아가 휘두른 마운파초선의 극독 기류였다.

"웩……."

엎드린 채로 피를 토한 진조는 머릿속이 울려 정신을 차리기가 힘들었다. 하지만 강한 생존 본능이 그 몸을 억지로 일으켜 세웠다.

어느새 그 앞쪽에 나타난 운몽향아가 좌수를 뻗어 상대의 목을 세게 옥죄었다.

"커……."

숨통이 턱 막힌 진조가 고통스레 몸부림을 치자 갑자기 분홍빛이 된 피부 일부가 삽시에 찢겨 나가며 핏물을 퍼드렸다.

푸학, 푸하악, 푸학……!

끔찍한 통증 앞에 목을 붙잡힌 진조의 신형이 부들부들 경련한다.

기실 일련의 피부가 갈라져 터진 건 아무것도 아니었다. 그보다 더 고통스러운 것은 체내의 모든 신경을 후벼 파는 듯한 뜨거운 독기였다.

"꺽…… 꺼걱…….."

눈깔이 뒤집힌 진조가 게거품을 물었지만 운몽향아의 손 속엔 자비가 없었다.

ㅊㅊㅊㅊㅊㅊㅊ

목을 꽉 움킨 손바닥을 통해 상대의 몸속으로 빠르게 스 민 독기가 주요 혈맥을 틀어막자 사지가 급격히 부풀더니 곧 퍼펑! 하고 폭발했다.

후두둑, 후두두둑, 후두두두둑—

재차 방대한 핏물을 퍼뜨리며 땅바닥에 착 감겨 붙는 육 편들.

팔과 다리의 앙상한 뼈가 위태롭게 매달려 덜렁거리는 그 모습은 뭐라 형언하기 힘들 정도로 너무나 끔찍했다.

운몽향아의 단죄는 아직 끝나지 않았다.

꽈드득— 퍼퍽, 퍽, 퍼퍽……!

파골음에 이어 허리 부위가 통째로 폭발을 일으켰고 피에 젖은 살갗과 뼛조각, 각종 내장이 지면 위로 조각조각 떨어져 내린다.

진조는 더 이상 비명을 내지를 여력조차 없었다. 아직까지 숨을 유지하고 있는 것만도 기적이었다.

두 눈을 빛낸 운몽향아가 그 목을 움켰던 손을 놓은 순간.

스으윽.

징그러운 몰골로 화한 진조의 신형이 무형지기에 이끌려 일 장 위로 가볍게 떠오른다.

운몽향아가 엷은 미소를 띠다가 지우곤 우수에 들린 거대한 마운파초선을 수평으로 눕히며 짧은 말을 남겼다.

"부디 그 혼마저 영원히 고통받기를. 이만 염라대왕 앞으로 꺼지려무나."

허공을 향해 긴 곡선을 그리는 마운파초선.

슈아아아아아아아아아아—!

세찬 궤적을 따라 발출된 분홍빛 연기의 독기가 어마어마한 크기의 나비 형태로 화해 치솟자 방원 수십 장을 사납게 뒤흔드는 풍성이 터져 나왔다. 그리고 그 독성의 기류에 휩쓸린 진조의 성치 않은 육신은 삽시에 바람을 한껏 불어넣은 양 팽창하더니 맹렬히 폭발하며 미세한 가루가 되었다.

운몽향아의 압도적인 무위 앞에 적들 얼굴이 일제히 경악의 빛으로 물들었다.

직접 보고도 믿기 힘든 홍간무황 진조의 죽음.

강선림, 나아가 용신부를 지탱하던 큰 기둥들 중 하나인 절세의 초인은 그렇게 죄업 가득하던 생을 마감하고 말았다.

같은 시각.

북리상도 마찬가지로 제 맞상대인 서룡정 포악검귀 사혁과 수십 초를 교환한 끝에 그를 저승길로 인도했다.

"흐…… 으…… ."

희미한 신음을 내뱉은 사혁은 자신의 패배를 용납할 수 없다는 듯 불신 가득한 눈빛을 흘리며 고개를 떨어뜨렸다. 그러자 턱밑까지 엄습한 눈얼음이 순식간에 그 머리통 전체를 완전히 새하얗게 뒤덮어 버렸다.

무극빙화살혼기.

사혁이 자랑하는 검학 사악칠절검법은 그 빙궁의 비전 절학이 발한 힘을 끝내 감당하지 못했다.

천중팔절의 일인이자 포악검귀란 별호로 악명을 떨쳤던 그의 죽음으로 말미암아 용신부 무리는 재차 절망과 혼란 속에 빠졌다.

한편 그로부터 십여 장 멀리에 자리한 공야휘는 당대 사상존의 으뜸답게 초절한 무력을 과시하며 전장의 분위기를 휘어잡는 중이었다.

화르르르르륵—!

겁화영검이 내뿜은 방대한 염화의 검기 앞에 머리털이 허옇게 센 늙은 도수가 질겁한 표정으로 공세를 겨우 회피한 후 신형을 뒤로 물렸다.

'이토록 엄청난 검력이라니……!'

그의 신분은 바로 용신부의 상룡정(上龍政)이자 전대 천중팔절의 한 명인 대도청학(大刀靑鶴) 성락(成洛)이었다.

창졸간 공야휘가 신쾌한 경공술로 간극을 좁히며 강맹한 검세를 뿌렸다.

쐐애액— 화아악!

종단의 칼질, 그 움직임을 따라 붉은 염화가 화려히 춤을 추고.

까아아아앙, 퍼어어어엉—!

쉿소리와 함께 폭성이 터진 직후 상룡정 성락의 신형이 뒤로 세게 튕겨 날아가더니 큰 바위를 깨부수며 깊이 파묻혔다.

즉각 보법을 밟아 그 가까이로 간 공야휘의 우수가 머리 위로 번쩍 들리자 겁화영검 주위로 시뻘건 불꽃이 폭발하듯 번져 나왔다.

화르르르르, 화르르르르르……!

그러기가 무섭게 직선을 그으며 지면 위로 떨어져 내리
는 칼날.

콰아악—!

이내 땅에 쑤셔 박힌 검극으로부터 공간 전체를 녹여 없
애 버릴 것만 같은 화력이 회오리바람처럼 퍼져 나왔다.

화아아아아아악—!

극열염화검식의 삼대 절초 천화열풍도검.

가공스러운 화염지기는 그렇게 성락의 몸을 품은 바위와
더불어 방원 오 장의 공간을 불길로 뒤덮어 버렸다.

사악한 적을 단죄하고자 일종의 화형식(火刑式)을 행한
셈이다.

공야휘의 손속에 의해 용정 반열의 강자 한 명이 또 죽음
을 맞았다. 이미 성락이 죽기 전에 그 엄청난 칼질 앞에 불
타 없어진 검수 무리만 해도 수를 헤아리기 힘들 지경이었
다.

열력의 아지랑이가 사위로 퍼진 직후에.

앞서 극열염화검식을 맞받아치다가 내상을 입고 잠시간
후퇴했던 천룡정 유위가 질풍처럼 좌측을 노려 왔다.

파파파파파파—!

그 이글거리는 눈빛이 외치고 있다.

전대 무림을 군림한 천중팔절의 최고수로서 현 사상존의 정점이라는 공야휘를 어떻게든 찍어 눌러 버리겠다고.

하나.

화아아아아아아아악!

적의 접근을 용납하지 않겠다는 듯 겁화영검의 칼날 위로 시뻘건 불길이 화려히 춤을 추며 솟구치더니 거대한 사람의 형상을 갖췄다.

극열염화검식의 최후 절초이자 극강의 검초, 화혼거신검.

단지 눈에 담는 것만으로 경외감이 저절로 드는 기운이다.

유위는 이를 윽물며 극성의 공력을 발휘한 검세를 뿌렸지만 공야휘의 손속이 더 빨랐다.

쐐애애애애애액!

소름이 오싹 끼치는 예리한 파공음, 그리고 파도를 일으키듯 요동치는 열력의 아지랑이.

화르르르르르르!

겁화영검을 내리긋는 동작을 따라 화염의 거인도 기다란 칼을 휘두른다.

위에서 아래로, 마치 세상 전부를 반으로 쪼개며 화염지기로 뒤덮어 버릴 것만 같은 가공스러운 검력은 상대인 유위의 검세를 단번에 쇄파했고, 그 몸마저 사정없이 불태워 새까만 재로 흩날리게 만들었다.

꽈우우우우웅— 화아아아아악! 부스스스스슷…….

숨기를 고른 공야휘는 승리를 만끽할 새도 없이 고개를 옆으로 꺾었다. 그러자 저편 멀리에 은암권황 엄언과 정면으로 대치한 정체불명의 청년이 눈동자에 담겨 들었다.

나이는 대략 이십 대 후반, 자못 날카로운 인상에 군계일학이란 표현조차 부족할 만큼 절륜한 기도를 자랑하는 젊은 검수.

공야휘가 곧 감탄 섞인 중얼거림을 발했다.

"참으로 놀랍구나. 저것이…… 교관님의 소싯적 모습인가."

第六章
최고조(最高潮)로 치닫다

　엄언은 전방 이십 보 거리에 서 있는 상대를 주시한 채 입을 열었다.

　"갑작스런 육신의 변화라…… 흥미롭군."

　현재 관궁의 외형은 열 살배기 남아가 아닌 육 척 신장의 청년으로 화한 상태. 마치 반로환동의 경지가 역행한 것 같은 기현상이다. 가만히 보고 있자니 과연 동일 인물이 맞는지 의심스러울 정도로 몹시 큰 차이가 나는 모습인데.

　앞서 관궁의 몸을 감싸고 있던 잿빛 마기는 돌연 기이한 움직임을 보이기가 무섭게 키가 훤칠한 사람의 형상을 만들었고 그와 동시에 모든 골격이 미약한 소리를 울리며 급속도로 성장하듯 외형 전체가 바뀌었다.

머리끝부터 발끝까지 모든 신체가 단번에 커진 영향으로 소맷자락과 바짓단은 팔꿈치와 무릎까지 한껏 당겨 올라간 상태였고, 가슴팍의 옷섶은 좌우로 뜯겨 나가 그 사이로 돌처럼 탄탄한 흉근이 적나라하게 드러났다.

그렇게 자그마한 어린애이던 관궁은 순식간에 건장한 이십 대 후반의 사내가 되어 이 싸움의 향방이 달라질 것임을 예고했다.

누가 봐도 비상식적일 수밖에 없는 급격한 육신의 변화, 이는 곧 회심의 최종 비기임을 뜻하는 바.

그걸 모를 리 없는 엄언이 안광을 깊게 가라앉히더니 은혼갑을 낀 양손을 활짝 폈다가 다시 주먹을 쥐었다.

강력한 초식 시전을 경고하는 양 은빛 철재 장갑이 쇳소리를 내고.

철컥, 철컥!

엄언의 신형 위로 은빛 기류가 하늘하늘 퍼져 나오자 발로 딛고 선 지면이 쩌저적! 하며 날카로운 비명을 질렀다.

뒤이어 그가 의미심장한 목소리를 내뱉는다.

"보아하니 짚이는 게 있다. 십중팔구 내 예상이 맞을 것이야."

관궁은 과거 반로환동을 두 번이나 이루며 의도치 않은

열 살배기 남아의 외형으로 변했잖은가.

한데 이제 와서 갑자기 이십 대 사내의 모습으로 화했다는 사실은 마치 봉인을 풀듯 어린 모습을 유지하던 기를 절반 정도 회수한 것으로 짐작되었다. 그렇다면 예의 육신이 급격히 성장해 버린 기현상도 자연스레 납득이 가니까.

쉽게 말해 두 번의 반로환동 중 하나를 취소해 그 힘을 본연의 내공으로 바꿔 단전에 갈무리한 것이었다.

히죽 웃은 관궁이 그 말을 받기를.

"알면 됐어, 늙은 개새끼."

"솔직히 자못 놀랍구나. 반로환동을 거꾸로 되돌리는 일이 가능할 줄은…… 하지만 그것으로 본좌를 능가할 수 있으리라 여겼느냐? 쯔쯧."

엄언의 조롱기 섞인 언사에 관궁은 일언반구의 말도 없이 광속신황검의 자루를 다시금 꽉 움켰다. 그러자 엄언이 재차 입을 떼며 도발했다.

"무형의 기도가 제법 묵직하게 다가온다만…… 그래도 넌 여전히 용심마단의 힘을 빌려 상대할 가치조차 없는 존재이니라."

그런 그의 입가에 한 줄기 미소가 희미하게 맺혀 든다.

일신의 무위에 대한 자신감의 발로일까.

이내 관궁이 마주 웃음기를 머금으며 나지막한 음성을

발했다.

"그럼 이건 어때?"

물음이 끝남과 동시에.

쿠구구구구궁─!

하늘이 통째로 무너지는 듯한 굉음이 핏빛 전장 전체를 떨쳐 울리더니 뭐라 형언하기 힘들 정도로 육중한 압력이 엄언의 어깨를 짓눌렀다.

'웃!'

그 힘에 의해 살짝 휘청거리는 상체.

꽈드득!

바닥이 움푹 꺼지며 깨지는 소리가 들렸을 때 관궁은 이미 상대의 면전으로 바짝 육박해 쾌속의 검초를 시전하고 있었다.

슈아앗─ 쩌정! 퍼허어엉……!

기파의 잔해가 투명한 파도처럼 넓게 번지자마자 엄언의 신형이 큰 포탄을 맞은 것처럼 뒤로 세게 날아가고.

꾸구궁, 꽈지직!

등짝이 커다란 나무를 들이치는 소리가 울려 퍼진다.

"크웃!"

큰 충격을 받은 나무가 조각조각 부서지며 비산하는 가운데 엄언은 그렇듯 짤막한 신음을 토한 후 믿을 수 없다는 눈빛으로 미간을 찌푸렸다.

'이럴 수가……!'

방금 관궁이 펼친 검초의 위력에 놀란 것이다.

뼛속까지 저릿하게 만드는 검력도 검력이거니와 그 일련의 속도가 날선 기감을 무시할 만큼 너무나도 빨랐다.

찰나의 틈에 반사적으로 은혼갑을 낀 쌍수를 놀려 칼끝을 막았기에 망정이지 만약 그 동작이 조금만 늦었다면 그대로 명치를 꿰뚫렸으리라.

엄언의 이마엔 어느새 식은땀이 송골송골 맺혀 위태롭게 흔들렸다.

그때.

쐐애액!

예리한 파공음을 앞지른 광속신황검이 다시 한 번 상대의 날선 기감을 무시하듯 명치를 노려 쇄도한다.

쩌어엉— 퍼허어엉!

가까스로 공세를 받아친 엄언은 드세게 폭발하는 반탄지력에 의해 무려 삼 장 뒤로 빠르게 튕겨 나갔다.

지이이이이이익…….

발바닥으로 지면을 길게 긁으며 겨우 멈춰 선 엄언의 동공이 심경을 대변하듯 투명한 파문을 퍼뜨린다.

저벅저벅.

관궁이 우수의 광속신황검을 아래로 기울인 채 걸음을 옮기며 전성을 보냈다.

『강제적인 대법을 통해 반로환동 고유의 힘을 단전의 내공으로 바꾸면 외형의 변화와 더불어 수명도 급격히 단축되지. 하늘이 허락한 성취, 그것을 함부로 역행하는 대가랄까. 이제 내 남은 수명이 어느 정도일지 모르겠다만 지금부터 제대로 보여 주도록 하마. 과도한 회춘으로 어린애의 모습을 유지하던 기의 절반을 회수해 내공 수위를 높인 이 공력이 얼마나 대단한지를…….』

별안간 엄언의 체외로 검은 연기가 뭉게뭉게 피어오른다.

츠츠츠, 츠츠츠츠……!

순식간에 시커먼 빛깔로 뒤덮인 전신의 피부, 선혈처럼 적색을 띤 한 쌍의 눈동자, 그리고 이마 정중앙에 조용히 내돋친 작은 뿔.

비로소 용심마단의 힘을 개방한 것이다.

새로운 경지의 가공스러운 무력을 발휘 중인 관궁을 본래의 무력만으로 꺾기란 무리임을 깨닫고 부득불 아껴 둔 필살의 수를 꺼냈다. 게다가 미리 약속된 천무외의 작전 신호마저 아직까지 보이지 않자 조바심이 인 것도 그에 한 몫을 거들었으니.

'검황껜 참으로 죄송하나 자의적으로 수마인 무리를 움직이는 수밖에…… 전세가 불리하게 흐르고 있어 이대로 마냥 기다리긴 힘든 노릇이다! 시간이 갈수록 피해만 커질 뿐!'

그 결심과 더불어 품속을 뒤지던 손이 이내 신호탄을 꺼냈다.

목대의 가느라단 줄을 당기자 허공으로 빠르게 치솟는 붉은 광채.

휘이이이이잉— 퍼어어어어엉!

멀지 않은 숲 속에 주둔하고 있는 수마인 무리를 호출하는 폭죽이 크게 터지며 불빛과 연기를 넓게 퍼뜨렸다.

한편 관궁은 위풍 넘치는 보행으로 나아가다가 한쪽 눈썹을 꿈틀 당겨 올렸다.

'저것은 마치 수마대령과 흡사한 특징…… 가만, 그렇다면 놈한테 용신마단을 건넨 변절자의 무위는 이미 수마대령에 필적하는 수준이란 말인가?'

그때 엄언이 짙은 투기와 살기를 발산하며 주먹을 움킨 은혼갑 위로 흑색과 은색이 뒤섞인 기파를 생성했다.

슈슈슈슈슈슈슈슈슈—!

눈을 번뜩인 관궁은 아무런 망설임도 없이 보법을 밟아 간극을 좁혔다. 그 동작과 연계해 펼친 광속능천검식 내 참

격의 초 일광멸신이 수직으로 떨어져 내리며 날카로운 파
공음을 터뜨렸다.

쐐애액!

질세라 엄언의 두 주먹이 마중을 나가자.

후우웅, 후우웅!

묵직한 풍성과 함께 은혼갑을 감싼 기운이 거대한 철추
형상으로 화해 쏘아진다.

은봉대류권법 사대 절초 중 하나인 추형은성권(椎形銀星
拳).

그렇게 서로의 공세가 맞부딪친 찰나 귀를 찢는 듯한 굉
음이 터져 나왔다.

콰아아아아아아아앙!

바로 직후에 날카로운 음향이 이어지고.

츄하아악—!

칼날에 의해 살갗이 갈리는 소리임이 분명했다.

찰나 인상을 구긴 엄언이 신형을 뒤로 물리며 짧은 통성
을 흘렸다.

"윽!"

아니나 다를까 그의 좌측 가슴부터 밑의 옆구리까지 종
단으로 가느다랗게 이어진 붉은 선이 보였다.

방금 관궁이 펼친 일광면신에 의해 검상을 입고 만 것이

다.

일순 엄언의 동공 위로 강한 불신의 빛이 어렸다.

'이 무슨……!'

관궁이 최종 비기를 드러내기 전 구사했던 광속검선에 의해 작은 상처가 났을 때만 해도 별다른 반응을 보이지 않은 그였는데 지금은 놀란 기색을 감추지 못하고 있었다.

하기야 그럴 수밖에.

기실 그는 불혹이 되기도 전에 외공이 도달할 수 있는 마지막 경지라 일컫는 금강불괴지체를 이뤘고 그 이후로 긴 세월을 격한 작금에 이르기까지 이토록 깊은 검상을 입은 적이 단 한 번도 없었으니까.

관궁이 이십 보 거리로 후퇴해 선 상대를 바라보며 입꼬리를 올렸다.

"크큭. 은암권황, 그 별호는 네놈 새끼한테 너무 과분한 듯한데."

앞서 엄언이 내뱉은 말이 있다.

　　—사종검황…… 그 별호는 네게 과분하구나.

그것을 속에 품고 있다가 고스란히 되돌려 준 것이다.

상대의 언사에 큰 수치심을 느낀 엄언이 사나운 기세로

땅을 박차고 돌진해 극성 공력을 담은 우권을 내질렀다. 그러자 은혼갑으로부터 육중한 권경이 태풍처럼 발출되어 관궁의 정면을 덮쳐 갔다.

콰콰콰콰콰콰—!

쇄암은풍권기(碎巖銀風拳氣), 이 역시도 은봉대류권법 사대 절초 중 하나였다.

한데 관궁은 도리어 그 휘몰아치는 권경 속으로 몸을 던지며 광속신황검을 횡으로 쾌속하게 그었고, 동시에 칼날로부터 어마어마한 크기를 자랑하는 검기가 맹렬히 뿜어져 나왔다.

콰콰콰콰쾅, 콰콰콰콰콰쾅!

일대 전장을 뒤흔드는 폭음과 함께 쇄암은풍권기가 일시에 소멸해 버린 반면 예의 커다란 검기는 그대로 곧게 뻗어 나가 상대의 왼쪽 팔뚝을 깊이 베었다.

"크읏!"

괴로운 신음을 터뜨리는 엄언의 입.

순간적으로 신형을 잽싸게 비틀었기에 그 정도로 그친 것이지 하마터면 팔 전체가 뭉텅 잘려 나갈 뻔했다.

외상과 더불어 내상까지 당한 엄언이 신속한 뒷걸음질로 거리를 벌렸지만 관궁은 숨 돌릴 틈을 주지 않았다.

파바밧!

표홀한 경공술로 거리를 압축한 그의 우수가 직선을 내리긋자.

슈아아아아아아앗!

공간을 갈라 버릴 듯한 파공음이 일며 빛살 같은 검기가 상대의 다친 팔을 거듭 노리고 든다.

엄언은 급한 대로 은혼갑을 낀 우수를 들어 그 쾌속한 검세를 막았다.

하나.

까아앙— 쩌저저적, 쩌저저저적!

검기의 위력을 감당하지 못한 은혼갑은 눈 깜짝할 사이에 어지러이 금을 그리며 무참히 박살 나고 말았다.

뒤이어.

푸학!

광속신황검의 예리한 날이 그 손목을 깔끔히 잘랐다.

"아악!"

엄언은 신경을 후벼 파는 듯한 통증에 비명을 내질렀고, 그가 두 발로 딛고 선 바닥은 금세 핏물로 흠뻑 젖어 들었다.

거듭 극쾌의 선을 긋는 광속신황검.

쫘득— 부우욱!

이번엔 손목이 잘린 팔이 통째로 절단되어 지면을 나뒹

군다.

"끄하, 끄하아……!"

괴로운 소리를 발한 엄언은 일순 죽음의 공포를 느끼고 황급히 뒤쪽으로 운신했다. 그러나 관궁은 도주를 용납하지 않았다.

타다닷, 쐐애액!

보법과 조화를 이룬 극쾌의 검초가 엄언의 우측 허리에 검상을 새겨 넣었다.

후두둑, 후두두둑……!

상처로부터 무수히 떨어져 내리는 핏방울들.

이내 칼을 기울여 쥔 관궁이 눈매를 가늘게 좁히며 이기죽거렸다.

"훗…… 그게 무슨 금강불괴지체란 말이냐? 망할 개새끼가 성취한 것에 비하면 길가의 똥보다 못한 수준인 것을."

그때 엄언이 발악적으로 모든 공력을 집중시킨 좌권을 내질렀다.

후우우우웅!

매서운 풍성이 터지기가 무섭게.

틱!

회심의 일권은 관궁의 손바닥 앞에 허무히 가로막히고

말았다.

경악한 엄언의 눈빛이 크게 흔들린다.

'크윽, 이토록 쉽게⋯⋯!'

찰나 관궁이 내뿜은 미증유의 무형지기가 그 몸을 구속해 손가락 하나조차도 꼼짝달싹할 수 없게 만들었다.

"하여간 멍청한 병신도 가지가지라니까."

그렇게 조롱한 관궁이 손을 강하게 오므려 은혼갑을 감싸 쥐자 섬뜩한 금속성이 울리며 쇳조각들이 우수수 떨어졌다. 또한 그 완력에 의해 손뼈마저 썩은 나무처럼 조각조각 으스러지고 말았다.

우두두둑, 우두두두둑一!

형언하기 힘들 정도로 엄청난 고통이 엄습했지만 엄언은 어떤 비명도 내지르지 못한 채 몸만 부들부들 떨었다.

홀연 귓전에 와 닿는 관궁의 말.

"곱게 뒈지면 쓰나."

그 싸늘한 목소리에 엄언의 낯빛이 사색이 된 순간 뼈가 으스러진 주먹을 싸쥐고 있던 관궁의 좌수 위로 잿빛 마기가 치솟아 커다란 손 모양을 갖췄다. 마치 어떤 거대한 마귀의 손을 보는 듯한 현상이었다.

덥석!

손 모양의 잿빛 마기가 그대로 엄언의 몸 전체를 쥐어 터

뜨리듯 검쥐자 전신의 뼈가 부서지는 음향이 마구 새어 나
왔다.

빠직, 빠지직— 꽈드득, 꽈득, 꽈드득—!

연속적인 파골도 모자라 온몸의 살갗마저 찢겨 나간 채
겨우 숨만 붙어 있는 엄언의 얼굴 위로 죽음의 그림자가 깃
들기 시작한다.

지이잉—

세찬 떨림을 발하는 광속신황검.

관궁의 입가에 살심 가득한 미소가 맺혀 들었다.

"쌍, 피 냄새마저 더러운 똥 냄새 같네."

그러곤 우수를 빠르게 놀리자 날카로운 빛을 머금은 칼
날이 엄언의 심장을 관통하며 이 대결의 끝을 알렸다.

푸우욱!

칼이 쑤셔 박힌 가슴팍을 비롯해 전신으로 피를 내뿜은
엄언이 곧 고개와 팔을 아래로 힘없이 축 떨어뜨렸다.

일세를 풍미한 전대 초인의 죽음.

절륜한 외공으로 강호를 제패했던 상고 무림의 황제는
그렇게 후대의 마지막 황제 관궁의 칼질을 감당하지 못한
채 이승을 떠나고 말았다.

스스스스슷……

잿빛 마기를 갈무리한 관궁이 광속신황검을 쑥 뽑자 엄

언의 시신이 바닥에 털퍼덕 널브러지며 비릿한 혈향을 마구 퍼뜨렸다.

관궁은 숨기를 고르며 두 눈을 사납게 번뜩였다.

'이제 이 불완전한 경지의 힘이 한계를 드러내기 전에 수마인 무리를 모조리 죽여 없애야 한다.'

그 순간.

파파파팟, 파파파팟—!

용신부 검수 십여 명이 내밀한 보법을 밟으며 그의 등 뒤로 빠르게 엄습해 든다.

그러나 그들 눈동자엔 두려움의 빛이 엿보인다. 즉 죽음을 각오하고 행하는 기습이다.

하나 관궁은 기척을 느끼고도 미동조차 없었다.

대신에.

휘익—

운몽향아가 옆쪽에 불쑥 등장하여 거대하게 변한 마운파초선을 맹렬히 휘두르자, 분홍빛 독무가 화살처럼 가닥가닥 발출되어 검수들 몸통을 무참히 꿰뚫어 버렸다.

"컥!"

"으악!"

"끄흐으……!"

연속적으로 터져 나오는 비명들.

뒤이어 검수 무리의 몸이 순식간에 끈적끈적한 즙처럼 녹아 지면을 흥건히 적셨다. 남은 건 각 시신의 싯누런 뼈만이 전부였다.

"어머나, 내 손속이 좀 심했나?"

운몽향아가 손으로 입을 가리며 조용히 웃자 관궁이 고개를 비틀며 시선을 던졌다.

"정말 지독하군. 그 신기한 꼬락서니는 뭐지? 새로이 깨달은 비기가 그것이냐?"

"네, 개화극독요신공이라 하죠. 한데…… 저는 오히려 지금 교관님 모습이 더 신기하네요. 설마 반로환동의 힘을 일정 부분 도로 돌려 내공으로 사용하실 줄이야, 미처 예상도 못한 일이에요."

"보아하니 낚시꾼 늙은이는 이미 뒈져 버린 모양이군. 크큭, 하기야 네가 마음먹고 숨은 진력을 발휘했으니 당연한 결과이겠지만."

"여력은 지니고 계시죠?"

운몽향아의 물음이 끝나기가 무섭게 관궁이 고갯짓을 보내더니.

"물론이다. 이제…… 가장 위험한 싸움이 시작될 테니까."

곧 나타날 수마인 무리를 뜻함이다.

덩달아 운몽향아가 머리를 주억이며 나지막한 목소리를 흘렸다.

"네. 다시 한 번 지옥도를 경험하게 되겠죠. 과거와 비교할 수 없을 만큼 그 수가 엄청나니…… 그렇지만 우리의 상황도 예전과 다르잖아요?"

시야에 담겨 드는 주변의 무림 동료들, 그 수많은 인원이 함께 싸우며 뒤를 받쳐 주고 있어 믿음직스럽다는 의미.

방금 전 애써 용기를 낸 검수 무리가 끔찍한 몰골로 전사하자 두 사람의 지척에 접근하는 적은 전무했다.

당연한 현상이다.

홍간무황 진조에 이어 은암권황 엄언까지 숨을 거둔 마당에 어느 누가 감히 그 둘을 상대로 손속을 나누려 들겠는가.

적의 사기는 한없이 곤두박질치는 중이었다.

서역의 여러 마두들, 용신부의 단주들, 대장들, 그리고 상위의 용정들, 그것도 모자라 강선림과 용신부를 통틀어 천무외를 제외하면 최고수라 할 수 있는 두 황마저 죽어 버렸으니 전의를 다시금 불태우는 건 고사하고 전열을 유지하는 것마저도 너무나 버거운 일이었다. 그저 보이는 대로 또 닥치는 대로 마구잡이식 혈투를 지속할 따름이었다.

"할멈, 움직이자."

그렇게 말한 관궁은 무언의 눈짓으로 답한 운몽향아와 더불어 질풍처럼 운신하더니 남은 적 무리를 향해 강맹한 공세를 퍼붓기 시작했다.

한편.

북리상, 공야휘 등과 마찬가지로 맹활약을 펼치는 고수진은 또 존재했다.

바로 혈교의 사대주교.

적혈검마 승조운, 겸마주 망역, 혈추마승 퇴락, 혈삼마조야 삼화는 저마다 상승 마학을 가감 없이 발휘하며 휘하 혈교도들 사기를 한층 더 북돋웠다. 물론 혈교 역시도 무수한 인원이 죽거나 다쳤지만 대신에 적은 그보다 훨씬 많은 수의 전력을 잃었다.

연거푸 적을 베어 넘기던 승조운은 이내 후방으로 가 서며 잠깐 숨을 고르더니 숲 너머 저 멀리로 시선을 옮겼다.

'후우, 몸이 조금씩 지쳐 가고 있다. 그나저나 사부님께선 지금쯤 새로이 깨달은 최상승 마학을 펼치고 계시겠지? 천마신교주와 함께……'

맘 같아선 당장 그리로 가 구경하고 싶었다.

마도 무림의 두 하늘이라 불리는 적우신과 광뢰가 조화를 이뤄 손속을 뿌리는 그 역사적인 광경을.

호홀지간 가벼운 풍성이 일며 한 인영이 그런 승조운의

정면을 노려 사납게 쇄도해 들었다.

펄럭펄럭—

옷자락이 나부끼며 거리를 신속히 압축하는 회색 머리털의 노검수.

이곳 전장의 용신부 용정들 중 유일하게 생존한 인물, 지룡정(地龍政) 신주환검옹(神州幻劍翁) 문인여릉(聞人子陵)이다.

앞서 공야휘의 절초를 받고 죽었던 천룡정 형산검조 유위에 버금가는 천중팔절 강자답게 우수를 통해 발휘되는 검력이 결코 범상치 않았다.

쐐애애애액— 퍼어어어엉—!

신속한 동작으로 상대의 참격을 방어한 승조운의 신형이 크게 휘청거리며 뒤로 세게 밀렸다.

'웃⋯⋯!'

인상을 찡그린 그가 흔들린 신형을 추스르기도 전에 문인여릉이 재차 간극을 좁혀 와 종단의 참격을 구사했다.

슈카아악!

공기를 매섭게 가르며 파공음을 터뜨리는 칼날.

질세라 승조운이 불완전한 자세로 검을 위로 세게 쳐 올렸다.

까아아아앙!

따가운 쇳소리가 터짐과 동시에.

꽈우우우우우우웅……!

묵직한 폭성이 울리며 검과 도가 맞닿은 곳으로부터 방대한 기파의 잔해가 사위로 퍼져 나간다.

"으윽!"

직후 승조운이 가벼운 내상을 입은 듯 짧은 신음을 토했다. 그러자 문인여룽은 끝장을 보려는 듯 더욱더 고강한 검력을 내포한 초식을 뿌렸다.

스파아앗—!

상대의 목을 베기 위해 나아가는 칼날이 일순간 환영 같은 잔상을 만들어 낸다.

궤검환영무(軌劍幻影舞).

일신의 별호를 상징하는 고절한 검학 육환현영검법(六幻眩影劍法)의 변화무쌍한 검초.

찰나.

승조운은 빈틈을 노출해 버린 자신의 죽음을 예감했다.

이대론 끝이다.

눈을 어지럽히는 일련의 검영은 차치하고 현 자세론 제대로 받아치기 힘들었다. 본능적으로 손이 반응해 움직였지만 도저히 막을 수 없다는 생각이 먼저 뇌리를 지배했다.

궤검환영무가 목 쪽으로 바짝 육박한 순간.

좌아아아아앗— 화르르르르륵—!

승조운의 두 어깨 너머로부터 빙결의 기류와 염화의 기류가 쇄도해 와 궤검환영무를 뒤로 강하게 쳐 냈다.

꽈르릉!

"큿!"

짧은 소리를 발한 문인여릉은 그 반탄지력에 의해 이십여 보 거리로 주르륵 미끄러져 갔다.

가까스로 절명의 위기를 넘긴 승조운이 이내 좌우편에 등장한 두 인물을 번갈아 보며 시원스런 소성을 터뜨렸다.

"하핫, 덕분에 살았습니다."

그들 정체는 북리상과 공야휘였다.

"승 주교, 괜찮은가? 내 힘을 적절히 조절하기는 했다마는……."

공야휘의 물음에 승조운이 아무런 말없이 빙그레 미소를 지었다.

빙기와 열기의 영향으로 목 양쪽의 살갗이 조금 변색이 되었지만 전혀 개의치 않는 표정이었다.

두 눈이 조용히 입을 대신해 말한다.

기실 목숨을 건진 것만도 천만다행한 일이라고.

만약 예서 죽었다면 차후 천마신교와 혈교의 통합이란 원대한 계획은 채 시작도 전에 무참히 꺾이고 말았으리라.

그때.

커다란 그림자가 세 사람 앞에 나타났다.

"꾸엉!"

"흐어엉!"

다름 아닌 홍청, 망청이다.

놀랍게도 두 청안신웅묘는 현재 온몸의 털이 바다처럼 맑은 청색으로 물든 상태였다. 원래 푸르던 눈동자와 더불어 몸까지 동일한 빛깔로 변한 탓에 뭐라 형언하기 힘들 만큼 기이한 느낌을 선사했다.

아마도 관궁, 운몽향아와 마찬가지로 최종 비기를 꺼내들며 그 외형이 변한 듯한데.

쿠쿠쿠쿠쿠쿠쿠쿠……!

홍청, 망청이 체외로 내뿜은 무형지기에 의해 주변 대기가 요란스레 진동하더니.

슈슈슈슈슛, 슈슈슈슈슈슛—!

각기 앞발로 움킨 죽창 위로 기류가 퍼져 나오며 큰 회오리인 양 맹렬한 회전을 일으킨다.

대략 이십여 보의 전방에 자리한 문인여룡은 흐트러진 숨기를 고르기가 무섭게 이 자리를 피하려 했다.

'큭, 위험하다!'

그도 그럴 것이 홀로 승조운, 북리상, 공야휘, 홍청, 망청을 한꺼번에 감당할 수는 없는 노릇이기에.

한데.

홍청, 망청의 공세가 그보다 더 빨랐다.

파핫, 파하앗!

앞쪽으로 길게 내뻗치는 죽창들.

동시에 창극으로부터 태풍을 방불케 하는 어마어마한 기운이 쏘아지고.

콰콰콰콰콰, 콰콰콰콰콰콰—!

흠칫한 문인여릉은 급한 대로 우수의 칼을 휘돌려 극성공력의 검막을 구사했지만 예의 거대한 창기는 그대로 거리를 격해 우렁찬 폭성을 연주했다.

퍼버버버버버벙!

그렇게 검막은 눈 깜짝할 사이에 쇄파되었고 문인여릉은 전신이 조각조각 잘려 나가며 비참한 죽음을 맞이했다.

홍청, 망청이 구사한 것은 천옥창후 주려화가 남긴 천옥혈무창법의 회선창쇄기와 궁극의 초식 모두한방을 조화해 새로이 터득한 기예였다.

공야휘, 북리상, 승조운은 그 광경을 보곤 저도 모르게 혀를 내둘렀다. 모르긴 몰라도 방금 두 청안신웅묘가 발휘한 힘은 생전의 주려화를 능가하는 듯하단 생각이 들었기 때문이다.

"우호웅."

"후잉, 후잉."

홍청, 망청이 만족스럽다는 기색으로 웃음 비슷한 소리를 내더니 곧 허리띠에 걸린 주머니를 뒤져 작은 팻말을 꺼내 들었다.

〈감히 본 문의 소중한 문지기 후배를 죽이려 들다니, 결코 용납할 수 없는 일! 지옥에 가거든 핏빛 만두나 빚어라!〉

〈감사히 여기도록, 문지기 후배여. 이 구명의 빚은 향후 우리를 대신해 한 달 동안 비번 없이 정문을 지키는 것으로 갚거라!〉

사실 승조운의 목숨을 구해 준 것은 북리상과 공야휘인데 대뜸 그 공을 가로채듯 우기고 드는 홍청, 망청이다.

승조운이 뒤통수를 긁으며 중얼거렸다.

"하…… 하…… 뭐, 어쩔 수 없군. 명색이 상관인데 까라면 까야지."

뒤이어 홍청, 망청이 새로운 팻말을 들어 보이는데.

〈모조리 얼려 버려라, 노예여!〉

〈모조리 구워 버려라, 노예여!〉

우습게도 빙무총리 북리상, 취사장 공야휘를 향한 명령 조의 문장이다.

그것을 눈에 담은 두 사람이 속으로 발끈했다.

윽! 노예라니, 우리 지위는 문지기인 너희보다 위에 있다 고!

별안간 저 멀리로부터 지축이 흔들리는 육중한 소리가 들리기 시작한다.

두두두두두두두, 두두두두두두두두……!

관궁과 운몽향아가 이내 그들 지척에 나타나 차례로 입 을 열었다.

"다들 각오해라, 진짜 적이 오고 있다."

"호홋, 지금부터 정신 바짝 차리지 않으면 한 몸 건사하 는 것도 어려울 거예요."

승조운이 긴장한 낯빛으로 칼자루를 고쳐 잡았다.

'드디어 수마인 무리가 오는가!'

북리상, 공야휘 또한 추가적인 공력을 이끌어 내며 전의 를 새로이 다졌다.

잠시 후.

꽈드드드득, 꽈드드득, 꽈드드드드득……!

멀지 않은 곳의 무수한 나무가 빠른 속도로 쓰러지더니 방대한 흑색 기류가 한데 뭉친 채로 돌진해 왔다.

　관궁은 즉각 그 방향으로 신형을 날리며 우렁찬 전성을 터뜨렸다.

　『이것이 우리의 최종전이다! 전원 숨이 붙어 있는 한 사력을 다해 맞서라!』

第七章
오판(誤判)

"끄……."

신음을 발한 묵진겸은 이내 섬맹의 시신을 앞에 두고 털썩 주저앉곤 입 밖으로 진득한 핏물을 내뿜으며 표정을 한껏 일그러뜨렸다.

"성주님!"

붕옥무결검 동리을흥, 비붕검작 맹초 등 전주 오 인이 황급히 다리를 놀려 묵진겸에게로 향했다.

비장의 검초를 구사해 섬맹을 죽인 군율도 붕익을 갈무리하기가 무섭게 날렵한 운신을 펼쳐 일동 곁에 자리했다. 그러더니 환약 하나를 꺼내 쥐며 걱정 가득한 눈빛으로 입을 열었다.

"사부님, 이대로 두면 위험합니다! 어서 조용한 곳으로 가서 치료를……."

말을 다 끝맺지 못했다.

묵진겸이 돌연 힘겨운 손짓을 보인 까닭이다.

"큼…… 됐다. 이 몸은 이미…… 죽음을 피할 수 없는 상태이니라. 우욱!"

상체를 숙이며 각혈한 그가 재차 목소리를 이었다.

"율, 네가 있어…… 참으로 다행이구나."

군율은 즉각 정면에 무릎을 꿇고 앉아 상대의 두 어깨를 꽉 붙잡았다. 그 시선을 마주한 묵진겸의 입가에 짙은 웃음기가 맺혀 들었다.

그것을 본 군율은 묘한 느낌을 받았다.

처음이다.

저토록 환한 미소는.

과거 묵진겸을 우연히 만나 목숨의 구함을 받은 이후 그 유일 제자가 되어 사는 동안 단 한 번도 보지 못했던, 너무나도 생소한 분위기였다.

군율을 비롯한 전주들 모두 직감했다.

현재 묵진겸이 지어 보이는 부드러운 웃음은 생의 마지막 순간을 앞둔 자의 어떤 소회를 대변하는 표정이라고.

"모두…… 미안하다. 지난 세월 내가 뿌려 놓은 죄업의 씨앗들…… 너희한테 장차 자못 무거운 짐이 될 것이야. 그로 인하여…… 이대로 죽는 것조차…… 마음이 편치 않구나."

전주들 안색이 어둡게 변했다.

지금 이 순간부터 묵진겸이 내뱉는 모든 말은 유언이나 마찬가지였기에.

무거운 눈빛을 띤 군율은 입술을 달싹거리다가 곧 가만히 다물었다. 죽음이 임박한 그가 온힘을 다해 전언을 남기려는 이 짧은 시간을 방해하면 안 될 것 같다는 생각 때문이었다.

"네가 최후에 구사한 천붕어검도의 절초…… 그 명이 무엇이냐?"

"천붕만리황입니다."

군율의 짧은 대답에 묵진겸의 미소가 한층 선명하게 변했다.

"후…… 과연…… 그 위용에 걸맞게 멋진 이름이군. 쿨럭, 쿨럭!"

듣기 거북한 기침, 이어지는 몇 번의 각혈.

배와 옆구리의 깊은 상처로부터 선혈이 연신 흘러나온 탓에 바닥이 마치 시뻘겋게 물든 작은 웅덩이처럼 변했다.

가까스로 숨을 고른 묵진겸이 나지막하게 이르기를.

"나는 결국…… 그를 능가하지 못한 채로…… 생을 마감하게 되었구나."

'그'라 지칭한 의문의 대상, 바로 현 강호 존자 반열의 최고수이자 당대 철무련의 련주인 철화검성 공야휘를 뜻함이다.

물론 자타가 공인하는 호적수 관계이나 이제 와서 새삼 호승지심을 불태우는 건 아닐 텐데.

아니나 다를까.

"항상…… 궁금했다. 철화검성은 도대체 무슨 수로…… 젊은 시절부터 그토록 엄청난 내공을 가지게 된 것인지…… 한데 최근에 검 교두님을 통해…… 그와 관련한 비사를 들었느니라."

묵진겸의 그 말에 군율, 동리을홍 등은 저마다 귀가 솔깃한 기색이었다.

힘겨운 음성이 재차 일동의 귓전에 와 닿고.

"모든 것은…… 철염신검의 안배였다."

철염신검은 철무련의 전대 련주이자 공야휘의 사부인 등지승의 별호인데.

군율이 곧장 물었다.

"안배라니요?"

"크음…… 과거 철염신검은 모종의 개정대법(開頂大法)을 이용해…… 자신이 평생토록 쌓은 내공 일체를…… 제자인 철화검성에게 전수했느니라. 그리하여 철화검성은…… 스물다섯 살에 불과했을 때부터…… 겁화영검을 자유자재로 다룰 수 있었던 것이야."

순간 군율 등은 저마다 들릴 듯 말 듯한 탄성을 발했다.

"아……."

전대 철무련주 등지승이 예정보다 일찍 은퇴해 버린 진짜 이유를 비로소 깨달은 것이다.

중원을 통틀어 한 자루뿐인 분화의 묘용을 발휘하는 겁화영검은 마치 자아를 가진 것처럼 주인의 자격이 없는 자의 손길을 거부하는 검으로 유명한 절세의 신검이다.

이를 손에 쥐기 위해선 대대로 련주의 위에 오를 무인에게만 전승된다는 내공 심법 '이화철륜심법'이 극성에 도달해야 하는데, 공야휘는 이미 이십 대 중반에 그 조건을 충족해 일찌감치 겁화영검의 주인이 되었다. 그리고 서른 살이 채 되기도 전에 철무련 초대 련주를 넘어 역사상 최강의 련주라는 찬란한 명성을 얻었다.

실지 공야휘의 엄청난 내공 수위에 대해선 그저 하늘이 내린 재능이 큰 영향을 끼친 것이리라 여겼는데, 설마 그 위에 덧보태 등지승이 일신의 내공을 고스란히 전하는 안배가 존재했을 줄은 까맣게 몰랐다.

다시 기침과 각혈을 한 묵진겸은 겨우 숨을 고른 후 입을
열었다.

"철염신검의 의중은…… 철무련을 명실상부 강호 무림
최고, 최강의 세력으로…… 우뚝 서게 만들려는 것이었을
터."

별안간 동리을홍이 이채를 띤 얼굴로 묻는다.

"성주님, 최근에 저희로 하여금 정체 모를 내가 공부의
구결을 외우라 명하신 게 혹시……?"

묵진겸이 대답 대신 머리를 주억였다. 그러곤 자신의 정
면에 앉은 군율을 바라보며 의미심장한 투로 말했다.

"너는 이 시간 이후로…… 내가 준비한 안배를 통해……
새로운 무의 경지로 발을 내딛게 될 것이다."

군율도 그제야 머릿속에 퍼뜩 짚이는 바가 있었다.

"서, 설마……."

"훗…… 그래, 맞다. 바로 그 '설마'이니라. 내 이곳 한
중으로 오기 직전에…… 어렵사리 창안한 개정대법을 행하
여…… 너를 무림사에 길이 남을 초인으로 만들어 주마."

"사부님……."

"무릇 강대한 힘엔…… 책임이 따르는 법. 권력에 눈이
멀었던 나는 타인을 핍박하며 세를 누리기만 했을 뿐……

그러한 진리를 너무 뒤늦게 깨우쳤다."

얇은 미소를 띤 군율이 고갯짓으로 중얼거렸다.

"무영의 존재가…… 새삼 대단하게 느껴지는군요."

"참된 은인이지. 부디 넌 앞으로…… 이 못난 사부를 대신해…… 본 성을 올바른 길로 이끌어 나가거라. 악행과 살행을 일삼은 주제에 이러한 당부를 건네는 게 우습다마는…… 내 저승에 가서도 네 행보를 항상 지켜볼 것이야."

묵진겸의 진심 어린 말에 군율이 결연한 표정으로 대답했다.

"예, 사부님. 명심하겠습니다."

"지금 그 눈빛…… 아주 마음에 드는군. 하나 기대가 크면…… 실망도 크기 마련이다. 일신의 내공과 더불어…… 사람의 목숨을 지탱하는 근간인 선천진기(先天眞氣)까지 모조리 전한다고 해도…… 검룡제의 후인을 능가할 수는 없을 테니까."

"홋…… 무영의 힘을 뛰어넘는다는 건 절대 불가능한 일임을 잘 알고 있습니다. 또한 그것은 천무외도 예외일 수 없다고 생각합니다."

군율의 미소를 흘리자 마주 웃음기를 띤 묵진겸이 곧 손짓을 보냈다.

"크으음…… 자…… 더 버틸 여력이 없으니 서두르자꾸

나."

동리을홍을 포함한 다섯 전주는 그 명에 따라 신속히 움직여 군율의 주위에 반월 형태로 펼쳐 섰다.

홀연 묵진겸의 체외로 번쩍이는 기류가 연기처럼 번져 나오더니.

츠츠츠츠, 츠츠츠츠……!

이내 파도처럼 부드럽게 나아가 정면에 자리한 군율의 전신을 뒤덮었다.

'우웃!'

군율은 일순 뼈마디가 저릿저릿할 정도로 큰 통증을 느꼈다. 하지만 이를 악물며 예의 기류를 저항하지 않고 그대로 받아들였다.

그때.

츠츠츠츠츠……!

번쩍이는 기류가 미약한 음향을 터뜨리며 군율의 뇌천 위로 뭉치자 묵진겸이 내밀한 전성으로 명을 내렸다.

『각자 머릿속에 외운 그 구결을 따라 율의 혈도에 진기를 주입해라!』

그러자 동리을홍, 맹초, 귀조, 민포, 열문함은 일사불란하게 내공을 운용한 손을 놀려 군율의 여러 혈도를 빠르게 두드려 나갔다.

　　　　*　　　*　　　*

　푸학, 푸하악, 푸하아악—!

　사상존의 일인 창궁검존 남궁시성의 강맹한 검초 앞에
용신부 검수들 신형이 싹둑 잘려 나가며 방대한 핏물을 내
뿜었다.

　흑운신패 태사진도 사상존의 명성에 걸맞게 우수에 든
오흑철창을 연속적으로 내질러 주변의 적들 몸통을 무참히
꿰뚫어 버렸다. 게다가 당능통이 선사한 만년한철 갑주는
그 육신을 견고히 보호하며 절륜한 무위를 맘껏 발휘할 수
있게 도움을 주었다.

　그렇듯 두 초인을 필두로 한 남궁세가, 흑운무궁 전력의
활약이 대단했지만 적의 기세는 전혀 위축되지 않았다.

　기존의 인원 팔 할 가까이가 전사했으나 수마인 무리가
가세하는 바람에 오히려 남궁세가, 흑운무궁 쪽이 압박감
과 위기감을 느끼는 중이었다.

　"크앙!"

　"우어억!"

　성난 괴성을 내지른 수마인 이십여 명이 난폭한 돌진으
로 남궁시성의 좌우를 노리고 들었다.

파파파, 파파파파—!

일순 안광을 번뜩인 남궁시성은 더 생각할 것도 없이 가문을 대표하는 검학 창궁비연검법(蒼穹飛燕劍法)의 절초를 시전했다.

슈아앗—!

선회 동작을 따라 사방을 둥글게 횡단하는 검날.

예리한 선을 따라 하늘처럼 푸른 검기가 원형으로 빠르게 퍼져 나가며 쇄도하는 수마인들 허리를 깨끗이 잘라 버렸다.

푸학, 푸하악, 푸학……!

남궁시성은 잽싸게 숨기를 고르며 미간을 찌푸렸다.

'후우, 후우…… 역시 녹록치 않구나. 이렇게 수마인들 상대로 연거푸 절초를 구사하면 내가 먼저 지치게 된다!'

태사진의 의중도 똑같았다.

흑신창법 삼대 절초 흑폭창극기를 연속적으로 구사해 수마인 이십여 명을 죽여 버린 그는 땀방울 가득한 얼굴로 짧게 중얼거렸다.

"아마 지금쯤 다들 작전지에 도착했을 터."

직후 고개를 옆으로 꺾곤 멀지 않은 곳에 있는 남궁시성을 보며 전음입밀로 말을 전했다.

『남궁 가주, 이제 적을 유인할 때가 된 것 같소!』

찰나 수마인을 추가로 베어 넘긴 남궁시성이 무언의 눈빛으로 화답하곤 가내 수뇌부를 향해 지시를 내렸다.

"전원 퇴각하라!"

"예!"

입을 모아 답한 남궁세가 상위 고수진은 신속히 합격진을 거두더니 단두혈맹 총부였던 성채로 오르는 길을 따라 경공술을 펼쳐 내달렸다.

이어서 태사진도 우렁찬 목소리를 토하며 퇴각 명령을 내렸고, 즉각 싸움을 멈춘 휘하 철기대 인원이 일제히 말머리를 돌려 남궁세가 전력의 뒤를 따랐다.

두두두두, 두두두두두, 두두두두두두—!

그렇듯 흑운무궁 무인들 전원이 뿌연 먼지를 일으키며 도주를 시작하자 용신부의 남룡정 신화검공 문수가 입매를 씰룩 올리며 비웃었다.

'큿……! 어리석은 놈들, 수마인 무리를 감당할 수 없다는 사실을 이제야 깨달았느냐!'

수마인 무리의 등장으로 말미암아 남궁세가, 흑운무궁은 어느덧 총력의 절반을 잃고 말았으니 꽁무니를 빼며 도망치는 것도 무리가 아니라 생각했다.

웃음기를 지운 문수는 이내 긴 휘파람으로 신호를 보낸 후 고막을 찢을 듯한 천리전성을 터뜨렸다.

『당장 움직여라! 가서 한 녀석도 남기지 말고 먹어 치워 버려라!』

동시에 괴성으로 화답한 수마인 무리가 시뻘건 눈을 부릅뜬 채 '쿠쿵, 쿠쿵!' 발소리를 울리며 난폭한 추격을 시작했다.

*　　　*　　　*

콰콰콰콰쾅, 콰콰콰콰콰쾅, 콰콰콰콰콰콰쾅―!

검무영의 천룡신검이 육중한 기운을 내뿜을 때마다 하늘마저 붕괴될 것처럼 가공스러운 폭음이 사위를 떨쳐 울렸고, 수마인 무리는 차례로 미세한 가루가 되어 소멸해 갔다.

드드드드드드드드드……!

지진을 맞이한 듯 평야 전체가 진동한다.

일대 지형은 기존의 모습을 연상할 수조차 없을 만큼 무참히 파괴되었고, 그 주변의 산봉만 해도 무려 삼십여 개가 붕괴되어 버렸다.

검무영이 잇달아 내뿜은 검력의 영향이다.

현재 생존한 수마인들 수는 기껏해야 오백 명 남짓한 정도.

꾸우웅, 꽈지직!

검무영이 왼쪽으로 진각을 밟자 그 방향 선상에 자리한 수마인 이백여 명의 몸이 푸른 허공으로 높게 치솟았다.

뒤이어 찬란한 빛을 머금은 천룡신검이 위로 쾌속하게 내뻗치자.

우우우우우우우우— 콰콰콰콰콰콰—!

웅혼한 용음을 발한 진천의 용신기가 대기를 마구 뒤흔들며 나아가 허공에 뜬 수마인 무리를 일시에 지웠다.

스스스스스스스스......

순식간에 먼지처럼 화해 깨끗이 소멸하는 시신들.

"좀 피곤하네."

심드렁하게 말한 검무영이 곧 천룡신검을 번쩍 쳐들자 칼날을 따라 거대한 빛살이 솟구쳐 하늘과 땅을 연결했다.

슈슈슈슈슈슈슈슈슈!

호흡지간 그 빛살의 표면을 따라 용의 비늘과 같은 문양이 가득 덮이더니 지상의 수마인 무리 위로 떨어져 내렸다.

쿠아아아아아아아아아아아앙!

귀청을 찢는 폭음, 그리고 허무한 전멸.

수마인 무리는 그렇게 모조리 이승을 떠나고 말았고 예의 신비로운 검기와 부딪친 땅은 흉하게 부서진 것도 모자라 마치 천부의 거신이 어마어마한 도끼로 찍어 누른 듯 반으로 곧게 나뉘었다.

쩌저저적, 쩌저적, 쩌저저적, 쩌저저저저적, 쩌저적, 쩌적……!

깊고 검은 균열이 연신 갈라지는 음향을 연주하며 끝 간 데 없이 뻗어 나가는 가운데.

"자, 네 차례인데 안 덤빌 건가?"

검무영이 먼 정면에 자리한 천무외 쪽으로 눈길을 던지며 묻자.

쿠르르르르르르릉—!

대기가 요동을 치더니 천무외의 전성이 사방 공간을 쩌렁쩌렁 울렸다.

『과거 수마대령을 죽여 없앴던 그 기예…… 따로 명을 붙였나?』

그러자 검무영이 소맷자락으로 이마의 땀을 훔치며 전성으로 대꾸했다.

『천주(天柱)의 용신기.』

별안간 천무외의 눈동자가 이채를 띠고.

현재 검무영의 무복은 흠뻑 젖어 그 몸 상태를 대변하고 있다.

지쳤다.

분명한 사실이다.

다른 사람도 아니고 검무영 정도의 강자가 전신의 땀을 주체하지 못한다는 것은 곧 체력과 내력을 과하게 소진했다는 의미.

천무외의 입술이 반월을 그렸다.

일련의 신중한 계산이 끝나고 비로소 승리에 대한 확신이 섰음을 방증하는 표정이었다.

'훗…… 너는 역시 내 예상을 빗나가지 않았다. 이제 내 손으로 직접 비참한 죽음을 맞이하게 해 줄 것이야.'

그 생각과 동시에.

취리리리리릿— 츠츠츠츠츠츳……!

붓털이 시커먼 연기를 퍼뜨리며 칼자루로 화했다.

이어지는 천무외의 목소리.

"네 최후의 절초인 천주의 용신기를 상회하는 검초를 보여 주마."

목을 한 바퀴 돌린 검무영이 그 말을 받았다.

"나도 제대로 보여 주지. 삼 할 이상의 힘을 발휘하면 네 몸뚱이가 어떻게 되는가를."

별안간 천무외의 안색이 급속도로 굳었다.

'무어라! 삼 할……? 여태껏 발휘한 힘이 고작 삼 할이었다고?'

동공의 흔들림도 잠시, 천무외는 곧 굳었던 안색을 풀며 양 입꼬리를 살며시 올렸다.

의미심장한 웃음.

바로 상대인 검무영을 향한 조소였다.

뒤이어 미소를 그리던 입이 열리며 그 사이로 살심 가득
한 목소리가 새어 나왔다.

"삼 할의 힘이라…… 땀범벅이 된 몰골로 내뱉을 소리는
아닌 듯한데."

그러자 검무영이 멋쩍은 양 왼손을 들어 뒤통수를 긁적
였다.

"흠, 허풍이 좀 과했나?"

"네 태도를 보고 있으면 용신 늙은이의 생전 모습이 떠
오르는구나. 그렇기에 널 무참히 베어 버리고 싶은 욕구가
이다지도 강한 것이리라."

정작 검무영은 무미건조한 눈빛으로 귓구멍만 후비적거
릴 따름이다.

천무외의 입술이 한층 선명한 호선을 그렸다.

'훗, 그래. 너무나도 닮았다. 정말이지 기분 나쁠 정도
로…….'

그러곤 다시 입을 열어 말하기를.

"방금 네가 지껄인 게 허세 섞인 말이든 아니든 아무 상
관없다. 어차피 이 싸움의 결과는 하나일 뿐이니까. 너는

예서 가루가 되어 저승으로 떠나고…… 본좌는 이제껏 존재하지 않은 신의 나라를 세워 영원불멸의 권세를 누리게 되리란 것이지."

타오르는 불꽃과 같은 그 야망에 감응하듯 우수에 들린 칼이 지이잉! 하며 세찬 떨림을 자아냈다.

『흑룡의 혼까지 취한 이 위대한 몸의 무위를 지금부터 여실히 체감해 보거라.』

상대를 거듭 비웃듯 전성을 터뜨린 천무외가 전방에 시선을 고정한 채 저벅저벅 나아가자 그 행로를 따라 무형지기의 투명한 파형이 대기 중으로 크게 번졌고, 일대 지면도, 아니 광활한 평야 전체가 무질서한 진동에 휩싸였다.

쿠구구구궁, 쿠구구구구궁……!

가히 패도적이고 압도적인 기도.

일련의 무형지기가 영향을 미치는 범위만 봐도 존자 반열의 초인마저 함부로 범접할 수 없는 절륜한 내공 수위임을 알 수 있었다.

게다가 천무외가 발을 내디딜 때마다 육중한 압력이 사방 공간을 마구 짓눌렀다. 마치 수천 명의 초절정 고수가 한데 모여 투기와 살기를 내뿜는 듯한 느낌이 들 정도로 숨막히는 압력이었다.

만약 이 자리에 있는 것이 검무영이 아닌 다른 무인이었다면 그 가공스러운 힘에 의해 체내 기혈이 모조리 뒤집혀 생을 마감했을 것이다.

천무외는 이내 검극을 지면 쪽으로 기울인 후 머릿속으로 가만히 생각했다.

'놈은 현재 진천의 용신기 하나만 해도 무려 열 번을, 그리고 광해의 용신기와 최후 절초라 할 수 있는 천주의 용신기는 각기 세 번이나 구사했다. 말마따나 그것이 설령 삼할의 힘이라 해도 내가 새로이 터득한 일련의 공부를 능가하는 수준은 아니지.'

그때 검무영이 마주 걸음을 옮기며 무심한 음성을 툭 던졌다.

"대가리 그만 굴리고 덤벼."

천룡신검의 칼날 주위로 찬란한 빛이 무럭무럭 피어오르더니 눈 깜짝할 사이에 번쩍이는 용으로 변모했다.

멸절의 용신기를 운용한 것이다.

싸늘한 안광을 흘린 천무외도 질세라 용 문양이 음각된 칼날 위로 검무영의 것과 동일한 형태인 멸절의 용신기를 사납게 발출해 보였다.

다만 그 색은 판이했다.

검무영이 운용한 멸절의 용신기가 번쩍이는 햇살을 연상시킨다면 천무외가 운용한 멸절의 용신기는 흡사 끝을 알

수 없는 암흑처럼 시커먼 빛깔이었다.

두 사람의 간극이 조금씩 가까워지는 와중에.

ㄷㄷㄷㄷㄷㄷ, ㄷㄷㄷㄷㄷㄷ—!

광활한 평야는 더욱더 거센 진동을 일으키며 인세의 경지를 까마득히 초월한 힘이 격돌할 무대를 예고한다.

천무외가 돌연 지면을 박차자.

꽈아아아아아아앙—!

용천혈로 폭사한 한 번의 내력에 의해 무려 방원 삼십 장의 바닥이 거대한 포탄에 두드려 맞은 듯 움푹 꺼졌다.

하늘 높이 치솟는 원형의 먼지구름.

하나 천무외의 신형은 예의 폭성이 울리기도 전에 검무영의 전면으로 바짝 육박한 상태였다.

슈아아앗, 슈아아앗!

두 멸절의 용신기가 횡단의 기세로 충돌하자 육중한 굉음이 사위를 떨쳐 울렸다.

퍼어어어어어엉—!

찰나 검무영의 신형이 검은 아지랑이에 휩싸인 채 뒤로 주르륵 밀렸고, 우위를 보인 천무외는 즉시 보법을 밟아 다시 한 번 그 면전으로 쇄도해 갔다.

신쾌한 그 동작과 연계한 찬섬의 용신기가 예리한 파공음을 토하고.

슈슈슈슈슈슈슛!

검무영은 비승의 용신기로 그 공세를 막았다.

퍼버버버벙, 퍼버버버벙……!

시커먼 기파의 잔해가 공기 중으로 넓게 번진 순간 검무영이 재차 이십 보 남짓한 거리로 빠르게 후퇴해 섰다.

천무외는 강맹한 손속을 멈추지 않았다.

파풍의 용신기, 찬섬의 용신기, 멸절의 용신기를 잇달아 뿌리며 검무영을 뒤로 멀리 튕겨 나가게 만든 그는 이내 단전을 맹렬히 돌려 내공을 몇 단계 위로 이끌어 냈다.

쿠르르르르르릉, 쿠르르르르르르릉—!

강대한 무형지기에 의해 뇌성과 같은 소리가 터져 나오며 눈에 보이는 공간 전체가 요동을 쳤고 주변의 대기마저 뭐라 형언하기 힘들 정도로 무겁게 가라앉았다.

그 영향일까.

검무영의 몸이 잠시간 좌우로 비틀거린다.

꽈아아아아아아앙—!

귀청을 찢는 폭성이 들렸을 때 천무외는 앞서와 마찬가지로 이미 검무영의 앞에 이르러 칼을 휘두르는 중이었다.

바람을 가르는 흑색의 용.

이제껏 구사했던 것과 비교를 불허하는 너무나도 거대한 멸절의 용신기였다.

검무영은 상대의 공세에 맞서 진천의 용신기를 구사했다.

우우우우우—!

검극의 커다란 용두가 괴성을 지르며 뻗어 나가 멸절의 용신기와 부딪치자 세상이 멸망해 버릴 듯한 굉음의 메아리가 퍼졌다.

콰콰콰콰콰콰콰쾅……!

직후 검무영이 강풍에 휩쓸린 낙엽처럼 삼 장 뒤로 밀렸고, 몸을 감싼 무복은 군데군데 찢겨 나가 그 사이로 맨살이 훤히 드러났다.

다행스럽게도 외상은 없었으나 무위의 격차가 현격히 벌어져 버린 순간이었다.

방금 천무외가 구사한 참격은 멸절의 용신기인데 검무영은 그것보다 상위 기예인 진천의 용신기를 구사해 가까스로 쇄파했으니까. 게다가 폭발하는 반탄지력에 의해 무려 삼 장 남짓한 거리를 후퇴하고 말았으니…….

천무외가 여유로운 미소를 지어 보였다.

"언행 불일치로군."

　　—나도 제대로 보여 주지. 삼 할 이상의 힘을 발휘하면 네 몸뚱이가 어떻게 되는지.

검무영이 호기롭게 내뱉었던 그 말을 조롱하고 있는 것
이었다.

그때.

콰아아아아아아아아아―!

허공을 향해 위로 번쩍 들린 천룡신검의 날에서 거대한
광채가 솟구치더니 눈 깜짝할 사이에 한 마리의 용으로 변
모했다.

쿠쿠쿠쿠쿠쿠쿠, 쿠쿠쿠쿠쿠쿠……

웅장한 위용을 과시한 빛의 용은 파란 하늘을 가득 채운
상태로 사납게 꿈틀거리며 지상에 어두운 음영을 드리웠
다.

광해의 용신기.

마치 실제 용신이 하늘의 문을 열고 현세에 나타난 것 같
은 경이로운 장면이었다.

"후, 드디어 극성 공력을 발휘한 것이냐."

히죽 웃으며 중얼거린 천무외도 곧 허공을 향해 시커먼
광해의 용신기를 내뿜었다. 그러자 평야는 물론이고 그 너
머에 병풍처럼 자리를 잡은 수십 개의 산봉이 일제히 균열
이 일으키며 뒤흔들렸다.

드드드드, 드드드드드, 드드드……!

말 그대로 천신의 위엄과 같은 놀라운 힘이다.

검무영과 천무외는 누가 먼저랄 것도 없이 칼을 그어 내렸고 덩달아 하늘을 양분하고 있던 빛의 용과 어둠의 용이 한데 어우러지며 어마어마한 폭음을 터뜨렸다.

꽈과과과과과과광, 꽈과과과과과과광―!

두 검세가 충돌한 위력을 대변하듯 시계에 담겨 드는 모든 땅이 무너져 내리고 주변 멀리의 산봉들 전부가 산산이 깨져 공중으로 마구 비산한다.

자욱한 먼지가 휘몰아치는 공간은 한 치 앞도 분간하기가 힘들었다.

별안간 누군가의 전성이 울리는데.

『호오, 재생의 용신기까지 운용했구나. 적절한 판단이다.』

그 전성의 주인은 바로 천무외였다.

뒤이어 일대 공간에 사나운 풍성이 연속적으로 울려 퍼졌다.

후후후후훙, 후후후후후훙!

천무외가 발산한 내기의 바람이다.

직후 시야를 가리고 있던 뿌연 홍진이 하늘로 치솟아 소멸했고, 마구 붕괴되어 엉망진창이 된 평야가 흉하기 짝이 없는 자태를 선명히 드러냈다.

천무외는 곧 우수의 칼을 바닥 쪽으로 비스듬히 기울인 채 전방으로 시선을 던지며 조용히 나아갔다.

느리지도 빠르지도 않은 걸음.

제 승리를 확신하는 여유로운 태도였다.

현재 대략 이 장 남짓한 거리에 서 있는 검무영의 살갗 위엔 은색이 감도는 반투명한 비늘이 잔뜩 덮인 상태였다.

무시무시한 공력을 담은 광해의 용신기를 교환했을 때 발생할 일련의 큰 충격에 대비하고자 즉각 재생의 용신기를 운용한 것임이 분명했다.

이내 천무외가 희미한 미소를 머금으며 또렷한 목소리를 내뱉었다.

"찰나의 틈에 재생의 용신기를 운용해 내상과 외상을 면한 것은 일단 칭찬해 주마."

곧장 검무영의 무심한 대꾸가 이어진다.

"변절한 놈의 칭찬 따위는 필요 없어."

"이제 네게 남은 최후의 수단은…… 천주의 용신기가 유일할 터."

천무외는 그 말이 끝나기가 무섭게 칼날로 고강한 내력을 주입했다. 그러자 예리한 검신이 세찬 경련을 일으키며 우웅! 하고 성난 울음을 발했다.

동시에.

쿠쿠쿠쿠쿠쿠쿠쿠쿠쿠……!

그 체외로 발출된 육중한 무형지기가 평야 전체를 세게 흔들었다.

검무영은 우수에 쥔 천룡신검을 통해 과거 수마대령을 죽여 없앴던 고절한 기예 천주의 용신기를 꺼내 들었다.

하늘과 땅을 잇는 거대한 빛의 기둥.

다시 봐도 가공스러운 검기였지만 천무외는 아무런 감흥도 없다는 표정을 짓더니 걸음을 멈추지 않은 채로 시커먼 기류를 내뿜었다.

츠츠츠츠츠츠츠……!

용신부 무리가 용심마단의 힘을 개방하는 것과 일맥상통하는 현상이다.

뚜둑, 뚝, 뚜둑—!

전신의 근골이 재배치되는 듯한 음향이 들리더니 천무외는 순식간에 기이한 외형을 갖췄다.

급격히 커진 덩치에 명마의 그것처럼 탄력적으로 부풀어 오른 근육들, 그리고 이마 중앙에 나선형으로 치솟은 기다란 뿔…… 놀랍게도 수마대령과 완전히 똑같은 모습이었다.

호홀지간 검무영이 두 눈이 한껏 커진다.

"……."

충격을 받은 걸까.

상대의 표정을 본 천무외가 날카로운 이를 드러내며 웃었다.

"큿, 경악스러우냐?"

그러곤 머리 위로 칼을 번쩍 쳐들자 생전의 흑룡을 닮은 거대한 기류가 치솟았다.

슈슈슈슈슈슈슈슈……!

육안에 다 담을 수조차 없는 엄청난 크기.

바로 그때.

검무영이 발출한 천주의 용신기가 갑자기 시커먼 색으로 물들더니 그 형태가 빠르게 바뀌었다.

쿠우우우우, 쿠우우우우……!

걸음을 멈칫한 천무외가 믿을 수 없다는 눈빛으로 입술을 달싹였다.

"이, 이럴 수가……."

머릿속이 백지장처럼 하얗게 텅 비어 버린 듯한 기색이다.

당연한 일이었다.

지금 검무영이 운용 중인 기류는 자신의 것과 동일했으니까.

눈빛을 차갑게 굳힌 검무영이 전방으로 발걸음을 옮기며 무심한 음성을 던졌다.

"너는 최근까지 타락한 신선의 행적을 찾는 중이었을 테지만, 이를 어떡하지? 그 미친 늙은이는 이미 몇 년 전에 내가 죽여 버렸는데."

뜻밖의 말에 천무외의 눈빛이 크게 흔들리는 가운데 검무영이 목소리를 이었다.

"타락한 신선 덕분에 새로이 깨달은 어둠의 힘, 이것으로 널 죽여 없애면 그 나름대로 의미가 있을 듯하군."

돌연 평야 전체의 땅거죽이 대패질을 당한 것처럼 얇게 휘말려 치솟더니.

파파파파파, 파파파파파파파파……!

쿠쿵! 하는 굉음과 함께 엄청난 무형의 기운이 천무외의 어깨를 짓눌렀다.

"큭……!"

압력을 느낀 그가 인상을 찌푸리며 짧은 소리를 발한 찰나 귓전에 와 닿는 말.

"내가 아까 삼 할 이상의 힘이라고 했지 극성의 힘이라고 말하진 않았어. 지금부터 느껴 봐, 제대로 된 극성의 힘을."

第八章
천외천(天外天)

우르르르르르르르릉—!

웅장하게 울려 펴지는 뇌성과 같은 소리.

광대한 공간의 대기와 지면······ 아니, 마치 이 세상 전체가 검무영이 체외로 발출한 무형지기에 진동하는 듯한 기분이다.

천무외의 두 눈이 더 이상 커질 수 없을 정도로 커져 심경을 대변하는 가운데 미증유의 압력이 거듭 그 몸을 강하게 억눌렀다.

'큼!'

두근두근.

심장이 격한 두방망이질을 해 댄다.

지금껏 경험해 보지 못한 긴장감이 살갗을 팽팽하게 당겼다. 그리고 전신에 뻐적뻐적 맺힌 땀은 금세 흉맹스러운 용 문양이 수놓인 옷을 흠뻑 적셨다.

용문검황이란 영광스러운 별호를 얻은 이후로 상대에 대한 두려움이 이토록 크게 흉중을 뒤흔든 적은 단 한 번도 없었다. 과거 자신을 사경으로 내몰았던 천마신교주도 이 정도로 엄청난 위압감을 선사하진 못했다.

'하나 우리의 승부는 이제 시작인 것을!'

가까스로 심기를 추스른 천무외는 이내 싸늘한 눈빛을 내뿜으며 전성을 보냈다.

『과연 경탄스러운 무력이군. 그렇지만…… 이 몸 또한 아직까지 극성의 힘을 드러내 보이지 않았느니라!』

직후 짤막한 기합을 발한 그의 체외로 흑색 기류가 커다란 돌풍으로 화해 치솟았다.

쏴쏴쏴쏴쏴, 쏴쏴쏴쏴쏴쏴……!

동시에 주변 지면이 쩌저적! 하고 커다란 거미줄처럼 어지러운 균열을 일으켰고, 무참히 파괴된 사물의 잔해를 허공으로 뿌옇게 비산시켰다.

방금 전성을 통해 선언한 대로 일신의 공력을 최대 수위로 운용한 것이다. 제 예상을 훌쩍 상회하는 검무영의 강대한 무위를 부득이 인정하고 전력을 다해 맞서기 위해서.

원대한 야망의 실현은 나중의 과제다.

당장 눈앞에 있는 검무영을 죽여 없애지 않으면 자칫 이곳이 자신의 무덤이 되고 말 테니까.

기실 승패는 중요하지 않다.

최소한 동수라도 이뤄 목숨부터 지킴이 마땅하다.

수백 년 동안 계획을 세우고 때를 기다렸는데 이제 와서 상대의 칼을 받고 저승으로 떠날 수는 없는 노릇이었다. 어떻게든 살기만 하면 새로이 전력을 꾸려 후일을 도모할 수 있으므로 이 순간 모든 힘을 짜내 맞서 싸워야 했다.

쿠쿵!

큰 소리와 함께 천무외의 몸을 감싼 흑기의 돌풍이 사납게 퍼져 나가자 일대 공간이 투명한 흔들림을 자아냈다.

파아아아아아아아……!

"후우웁."

어깨를 짓누르던 무형의 압력을 가까스로 벗겨 내며 숨기를 고른 그가 전방의 상대를 쏘아보며 또렷한 목소리를 내뱉었다.

"결착을 내자꾸나."

곧장 귓전에 와 닿는 검무영의 말.

"그건 내가 결정해."

천무외는 수마대령처럼 흉하게 변한 얼굴을 살짝 구기며 물었다.

"한 가지만 묻지. 넌 도대체 타락암선(墮落暗仙)을 어떻게 찾았느냐? 그것도 모자라 그를 죽여 없앴다니……."

타락한 신선, 이른바 타락암선은 불확실하고 비밀스러운 전설일 뿐이었다.

까마득한 고대로부터 작금에 이르기까지 타락암선의 존재를 아는 사람은 극소수에 불과했으며, 게다가 그 실물을 접한 기록 따위도 아예 없었다.

천무외는 과거 흑룡의 혼을 통해 타락암선의 존재에 대해 처음 알게 되었다.

그리고 이전에 검룡제의 제자였을 때는 미처 몰랐던 숨은 비사도 들었다.

그건 바로 흑룡의 기원과 관련한 일.

흑룡은 원래 검무영의 사부인 검룡제보다 먼저 인세에 강림한 용신이었지만 어느 순간 본연의 임무를 망각하고 손을 대지 말아야 할 힘을 추구하기 시작했다. 그러다가 우연히 만나게 된 타락암선을 통해 어두운 힘을 극대화하는 묘용을 깨우치며 대자연의 섭리가 균형을 유지하도록 관리하라는 천부의 뜻을 저버린 채 본격적인 악로를 밟아 나가게 된 것이었다.

천무외는 이후 강선림의 세 황과 조우해 그 장소가 오백여 년 전 타락암선이 잠시 머물렀던 곳이란 기록이 남아 있다는 이야기를 들었고, 그때부터 타락암선의 행적을 추적했다.

흑룡의 혼을 이용해 손에 넣은 어두운 힘을 한층 강화해보다 높은 무의 경지를 성취하고픈 욕망 때문이었다. 그러나 지금까지 백방으로 애를 써 봐도 타락암선의 행적은 흐린 안개처럼 묘연할 따름이었다.

그렇듯 천무외 자신은 생사 여부조차 모르고 있던 상태인데, 검무영은 몸소 그를 찾아낸 것도 모자라 저승으로 보내 버렸단다.

"예전 우연히 입수한 몽둥이, 그게 단초가 되었지. 귀찮으니까 질문하지 마."

"그래…… 너답군."

안광을 번뜩인 천무외가 지면을 박차고 돌진해 우수에 움키고 있는 검을 세차게 휘둘렀다.

위에서 아래로.

쐐애애애애액!

예리한 파공음을 앞질러 직하의 선을 긋는 기다란 칼날.

동시에 생전의 흑룡을 연상시키는 거대한 검기가 허공을 격해 떨어져 내리며 검무영을 노려 갔다. 가히 찰나의 시간조차도 길다고 할 만큼 극쾌의 경지를 자랑하는 검세였다.

퍼어어어어어엉, 꽈과과과과과광—!

이곳 평야를 통째로 뒤집어 놓을 듯한 폭음이 울린 순간 천무외의 동공이 작은 파문을 일으켰다.

'이럴 수가⋯⋯!'

우습게도 공력을 한껏 이끌어 낸 예의 쾌속한 검세가 상대의 몸과 부딪치기도 전에 무형의 기막에 가로막히며 쇄파되어 버린 것이다.

<u>스스스스스스스스⋯⋯</u>.

시커먼 아지랑이가 흡사 파도인 양 허공중으로 번져 나간 때.

"시작해 볼까. 얼마 전 영혼지체의 상태로 겨뤘을 때와 완전히 다를 거야."

검무영의 중얼거림을 들은 천무외는 가슴 한구석이 서늘해져 더 생각할 것도 없이 신쾌한 경공술을 펼쳐 신형을 뒤로 물렸다.

쐐애애애애액!

눈에 보이지 않는 속도로 움직이는 검무영의 우수.

천룡신검이 날카로운 직선을 그어 내리자 천무외의 것과 동일한 흑색 검기가 폐허로 화한 지상을 향해 맹렬히 낙하했다.

기감을 깡그리 무시하는 검세 앞에 천무외는 본능에 이끌려 우수의 검을 머리 위로 번쩍 들어 올렸다.

그렇게 동일한 검기가 맞부딪치자.

콰아아아아아앙!

육중한 굉음이 울려 퍼지며 천무외가 딛고 선 자리가 일장 깊이로 움푹 꺼져 내렸다.

"윽!"

답답한 신음을 흘린 천무외는 몸의 균형을 잡을 새도 없이 다시 한 번 신쾌한 경공술로 멀찍이 후퇴해 섰다.

반사적으로 손속을 뿌려 막았기에 망정이지 하마터면 검무영이 발휘한 검력에 의해 심맥이 갈가리 찢겨 나갈 뻔했다. 하지만 상대의 무력에 놀라고 있을 여유 따윈 없었다.

검무영이 가만히 두지 않았으니까.

파팟!

단숨에 간극을 압축하는 동작의 파공음.

쉬이이이익!

시커먼 기류를 머금은 천룡신검이 직하의 선을 그리고.

차카아앙!

질세라 천무외도 마주 시커먼 기류를 내뿜은 검초로 그 공세를 방어했다. 이번 역시도 내공을 운용한 안력과 기감이 아닌 생존 본능에 이끌린 동작이었다.

퍼헝!

경쾌한 폭성과 이어서.

우지직, 꽈드득……!

육중한 검력의 충격에 의해 천무외의 두 다리가 땅을 깊이 파고 무릎 부위까지 쑥 들어가 버린다.

"커헉!"

그런 그의 입가로 주르륵 새어 나오는 선혈.

결국 내상을 피하지 못한 것이다.

그때 검무영의 칼날이 종단의 기세로 쾌속하게 떨어져 내렸다.

슈카아악!

질겁한 천무외가 용천혈로 모든 내력을 내뿜자 지면이 쾅! 하고 폭발하며 무릎까지 쑤셔 박혔던 신형이 허공을 격해 쏜살처럼 뒤로 향했다.

간발의 차이로 표적을 놓친 천룡신검의 날이 예의 자리를 두드려 부수자.

콰콰콰콰콰콰콰쾅—!

수십 장 방원의 땅이 요란스럽게 무너지며 방대한 먼지구름이 푸른 하늘로 높이 치솟았다. 마치 수천 개의 화탄이 일제히 터져 허공으로 연기를 퍼뜨리는 듯한 광경이었다.

와르르르르르, 와르르르르르……!

호흡지간 드센 진동에 휩싸인 공간이 시끄러운 굉음을 연주했다. 바로 평야 외곽을 병풍처럼 감싼 모든 산봉이 일시에 붕괴되는 소리였다.

　가까스로 위기를 모면한 천무외는 온통 뿌옇게 변한 공간을 눈에 담으며 손과 발을 부들부들 떨었다.

　그렇지만 몸보다 더 떨리는 것은 심장인데.

　후우, 후우, 후우…….

　연신 거친 숨을 토하는 그.

　어느새 흉중에 깃든 공포가 걷잡을 수 없을 만큼 커졌다. 겨우 다잡았던 마음이, 일련의 전의가 파도에 쓸린 모래성처럼 급격히 부서지는 중이었다.

　저벅저벅.

　걸음을 옮기는 미약한 소리가 들린다.

　멀지 않은 전방.

　천무외는 두려운 와중에 일말의 분노가 치밀었다.

　'큭, 놈……!'

　느리지도 빠르지도 않은 보행이다.

　그것은 곧 앞서 자신과 마찬가지로 우위를 점한 검무영이 짐짓 여유를 부리고 있음을 방증함이다.

　한데.

　"어딜 보고 있어?"

갑자기 들린 무심한 음성에 천무외의 낯빛이 사색이 되었다. 어느 순간에 검무영이 지척으로 접근해 목소리를 내뱉었기 때문이다.

'좌측!'

순간의 판단보다 칼을 검쥔 손이 먼저 움직였다.

슈아아아아아아앗!

횡단의 참격이 시커먼 용의 기류를 발출하자 그 방향 선상의 자욱한 먼지가 사위로 날려 비산하는데.

스스스스스스스스…….

정작 시야에 담겨 드는 것은 전무했다. 그저 대기를 가르는 공허한 풍성만 울렸을 따름이었다.

상대를 놓친 것이다. 아니, 검무영이 이미 다른 방향으로 운신해 사라진 것이다.

돌연.

뻐어억—!

둔탁한 음향과 함께 천무외의 신형이 강풍을 맞은 나뭇잎처럼 한옆으로 빙글빙글 돌며 날아가더니 곧 지면 위로 쾅! 부딪쳐 엎어졌다.

"끄윽……."

입술을 비집고 흐르는 괴로운 신음, 그리고 핏물.

직후 무형의 기풍이 휘몰아치자 일대 공간을 가득 채우

고 있던 홍진이 눈 깜짝할 사이에 사위로 흩날려 깨끗이 소멸했다.

그것 또한 검무영의 솜씨였다.

저벅저벅, 저벅저벅…….

검무영의 여유로운 발걸음 소리에 이어 심드렁한 음성이 천무외의 고막을 재차 괴롭히고 든다.

"내가 등짝을 너무 세게 찼나? 아니면 네가 약골인 건가?"

이를 악문 천무외는 즉각 재생의 용신기를 운용해 진탕된 기맥을 진정시켰다. 그런 다음 신속히 우수의 검을 지팡이 삼아 몸을 벌떡 일으켜 세웠다.

검무영은 일 장 남짓한 거리에 멈춰 섰다.

"남은 수가 있으면 다 사용해 봐. 이제 곧 뒈져 버리면 후회조차 못 해."

움찔한 천무외가 이내 표정을 차갑게 굳히며 속으로 중얼거렸다.

'크으…… 이대로 가면…… 죽는다! 그럴 바엔 차라리 내 몸을 던져…… 놈과 함께 저승으로 떠나는 길을 택하리라!'

단 하나, 비장의 수가 존재한다. 결단코 사용할 일이 없을 거라 믿은 비장의 수가.

'기회는 오직 한 번…… 어둠의 기운을 일시에 폭발시켜 널 지옥으로 향하는 동무로 삼겠다!'

예전 미완의 수마인 무리한테 부여했던 신체 폭발의 묘용, 그 온전한 힘의 요체를 이용해 검무영과 동귀어진할 심산이었다.

대전의 패배도, 육신의 사멸도 모두 피할 길이 없다면 상대의 몸을 껴안고 죽는 쪽을 택하는 것이 최선책이다. 그래야 예서 전사해도 억울함이나마 조금 덜하리라.

검무영이 천룡신검을 통해 시커먼 용의 기류를 발출한 찰나 천무외가 맹렬한 기세로 앞을 향해 쇄도했다.

콰하아앙—!

거대한 규모로 둥글게 꺼져 내리는 땅.

굉음이 터졌을 때 천무외는 이미 검무영의 면전으로 바짝 육박한 상태였다.

과거의 수마대령처럼 머리의 기다란 뿔을 앞세워 돌격하는 형태의 공세 앞에 검무영도 우수를 놀려 검을 그어 내렸다.

슈아아아아아아앗—!

천무외는 그 짧은 시간에 회심의 미소를 머금었다.

상대의 검격이 자신의 육신을 쪼개든 뭘 하든, 칼에 맺힌 기운이 닿는 순간 이 평야 전체를 소멸시켜 버릴 강대한 폭발력이 일어날 테니까.

그런데 갑자기.

푸우욱!

기다란 뿔이 살갗에 쑤셔 박히는 섬뜩한 음향이 울리는데.

바로 검무영의 배를 관통하는 소리였다.

직후.

츄하앗!

천룡신검에 의해 신체가 잘려 나가는 소리도 잇달아 들렸다.

화끈한 통증을 느낀 천무외는 날카로운 비명을 내질렀다.

"끄하아악······!"

칼날에 의해 절단된 왼팔이 바닥 위로 떨어지며 핏물을 뿌리는 가운데 그의 뇌리로 잇단 의문이 스쳐 지나갔다.

뭐지? 놈이 왜 공세를 허용한 거지? 게다가 내 신체는 어째서 폭발하지 않는 거지?

그때.

쿠쿠쿠쿠, 쿠쿠쿠쿠쿠······!

주변 대기가 진동하더니 천무외의 몸에서 시커먼 기류가 빠른 속도로 뿜어져 나와 검무영의 몸으로 흡수되기 시작했다.

'커…… 허어……!'

경련을 일으킨 천무외는 일순 밧줄에 목이 졸린 것처럼 숨이 막혔다.

이내 검무영이 말하기를.

"너무 예상대로라 하품이 다 나네."

천무외는 왠지 모를 불길함에 휩싸였다.

아니나 다를까, 검무영이 다시 입을 떼며 나지막한 음성을 내뱉었다.

"너 따위는 진작 죽여 없앨 수 있는데 왜 지금까지 기다린 줄 알아? 내 이제껏 연속적으로 구사했던 검초들…… 그건 모두 칼 속에 봉인이 된 영감의 혼을 풀어 주기 위한 안배였다."

"……!"

별안간 검무영이 좌수를 놀려 자신의 배에 쑤셔 박힌 뿔을 붙잡았다.

꽈직!

완력에 의해 조각조각 부서지는 뿔.

천무외는 비명조차 지르지 못한 채 몸을 세차게 떨었고, 검무영은 곧 상대의 뒷머리를 꽉 움키더니 위로 들어 세워 시선을 맞췄다.

츠츠츠츠츠츠······.

용신안을 운용하기 시작한 검무영이 선명한 웃음기를 띠며 일렀다.

"넌 몰랐을 테지만, 내 무력은 이미 몇 해 전에 영감을 앞질렀어. 다시 말해 태초에 신력을 소모하지 않은 상태인 용신의 힘을 능가하는 수위란 뜻이야."

"······!"

"조금만 기다려라. 영감의 혼을 해방한 다음 널 지옥으로 보내 주마."

검무영의 말이 끝나자마자 그 두 눈으로부터 찬란한 기광이 발출되어 천무외의 눈과 하나로 연결이 되었다.

*　　　*　　　*

온통 새하얀 공간.

위와 아래의 구분이 없는 천무외의 상단전 심계로 발을 들인 검무영은 주위를 둘러보다가 읊조리듯 중얼거렸다.

"너무 휑하잖아."

돌연 그의 체외로 번쩍이는 기류가 번져 나오자 온통 백색인 공간이 큰 흔들림을 자아내더니 금세 다채로운 빛깔의 풍광으로 바뀌기 시작했다.

스스스스— 스스스스스—

기화이초가 만발한 풀밭과 끝 간 데 없이 뻗은 울창한
숲, 그리고 분지 저 멀리에 푸른 자태를 뽐내며 우뚝 치솟
은 산봉들…….

그뿐만이 아니다.

아름다운 녹음을 찬양하듯 온갖 산새 무리의 고운 노랫
소리가 귓전을 간질이고 지척에 있는 가파른 절벽 아래의
동혈 주변엔 호랑이, 곰, 사슴, 노루, 양 등 여러 짐승이 사
이좋게 어울려 놀고 있는 것도 보인다.

그렇듯 사방이 새하얗던 이곳은 순식간에 화려하고 신비
로운 대자연의 경치를 그려 내며 뭐라 형언하기 힘든 평온
함을 선사해 왔다.

눈에 담는 것만으로 심신이 안정되는 느낌.

검무영은 이내 동혈 쪽으로 눈길을 옮기곤 입가에 엷은
웃음기를 머금었다.

놀랍게도 그 동혈은 과거 용신 검룡제와 동고동락한 거
처 용신비동과 똑같았다. 아니, 이 광활한 공간 전체가 용
신비동을 포함한 용신비곡과 동일한 경치로 화한 것이었
다.

"뭐…… 이 정도면 영감도 만족하겠지?"

다시 한 번 혼잣말로 중얼거린 그가 예의 번쩍이는 기류

를 갈무리하자마자 천룡신검의 자루를 꽉 움켜 그 끝을 앞
쪽 지면에 세게 꽂아 넣었다.

꽈득!

동시에.

쿠르릉, 쿠릉, 쿠르릉…….

검극이 쑤셔 박힌 자리를 중심으로 요란한 진동이 일더
니 부드러운 풍성과 함께 찬란한 용의 기류가 사위로 빠르
게 퍼졌다.

검무영은 두 눈을 지그시 감은 채 천룡신검으로 추가적
인 기를 주입하며 정신을 집중했다.

'이대로 조금만 더…….'

속으로 짧게 말한 그의 미간에 몇 개의 가느다란 주름이
잡혔다.

아마도 원하는 무언가를 찾는 듯한 기색인데.

시간의 흐름에 따라 이마 위엔 굵은 땀이 방울방울 맺혔
고 일련의 호흡성은 쉬지 않고 뜀박질을 행한 것처럼 가빠
졌으며 칼자루를 검쥔 손등엔 파란 힘줄이 꿈틀대며 비쳐
올랐다. 그 모습을 보아하니 상당한 양의 기력을 소모하고
있음이 분명했다.

한참 후.

비로소 두 눈을 번쩍 뜬 검무영이 이채 띤 얼굴로 긴 숨

을 내뿜었다.

"후우…… 마침내 성공이군."

말이 끝나기가 무섭게 천룡신검이 쉬지 않고 내뿜던 찬
란한 용의 기류가 일시에 자취를 감췄고, 멀지 않은 곳의
허공이 돌연 투명하게 뒤틀렸다.

츠츠츠츠츠츠—

뒤이어 훤히 드러나는 백색의 구멍.

검무영이 시선을 고정한 채 땅에 박힌 천룡신검을 쑥 뽑
았다.

'가까스로 봉인의 벽을 뚫었군.'

그때 허공의 백색 구멍으로부터 운무처럼 뿌연 인영 하
나가 불쑥 나타났다.

스으윽…….

환영과 같은 그 사람 형상은 공중에 둥실둥실 뜬 상태로
미약한 떨림을 발하더니 눈 깜짝할 사이에 선명한 모습을
갖춰 나갔다.

인영의 정체는 바로 예전 수명을 다하고 하늘로 향하다
가 천무외의 술수에 의해 강제로 이곳에 갇혀 버린 사부 검
룡제의 영혼이었다.

검무영이 입매를 비틀어 씩 웃곤 특유의 무심한 목소리
를 내뱉었다.

"명색이 천부의 용신이 그게 도대체 무슨 꼴이야."

직후 검룡제의 몸이 깃털인 양 표홀히 떨어져 내려 검무영 앞에 조용히 자리해 섰다.

몇 년의 세월을 격해 다시 마주하게 된 사제.

검무영의 동공에 담겨 든 검룡제의 자태는 생전 마지막으로 봤을 때 그대로였다.

등허리를 덮고 있는 새하얀 머리카락, 밭고랑 같은 주름이 가득한 얼굴, 비경의 호수처럼 청명한 빛을 발하는 한 쌍의 눈동자, 몸 전체를 감싼 백색 의복과 더불어 세속을 초탈한 선인처럼 신비로운 기도…….

얼마 전에 천무외의 심계로 들어 영혼지체끼리 만났을 때 보았던 검룡제의 몸을 꽉 옭아맨 흑색 띠와 눈, 입을 가린 흑색 기류는 사라지고 없었다.

검무영이 아까 천무외 몸속의 시커먼 기류를 흡수한 영향이었다.

다시 말해 상대가 품은 어두운 기운을 모조리 자신의 힘으로 빨아들이며 검룡제를 속박하던 결계가 자연스레 해제된 것이다.

미소를 띤 검룡제가 허연 수염에 가린 입술을 움직여 물었다.

"이건 다 무어냐?"

천무외의 심계 전체를 용신비곡의 풍광으로 바꿔 놓은 걸 뜻함이다.

"뭐, 영감과 재회한 기념이랄까. 물론 일전에 한 번 보긴 했어도 제대로 된 재회는 아니었잖아."

"쓸데없는 짓을…… 허헛, 잡스럽구나."

"나 원, 모처럼 추억을 떠올리며 분위기 좀 잡아 볼까 했는데 산통 다 깨네."

검무영은 그렇게 말을 받은 후 짐짓 거만하게 턱을 쳐들었다.

"어때, 영감. 오늘 내 무력을 본 소감은? 솔직히 영감의 예상을 한참 웃도는 수준 아닌가? 맘껏 칭찬해도 돼."

돌연 검룡제가 너털웃음을 터뜨리고.

"허허허헛! 그래, 인정하마. 무외 녀석이 아주 꼼짝을 못하더구나."

이어지는 나지막한 목소리.

"너라면…… 세상 뒤에 숨은 타락한 신선을 반드시 찾아내어 멸사시키리라 믿었다."

그러자 검무영이 어깨를 으쓱거렸다.

"예전 영감이 수련용 목검으로 만들었던 몽둥이를 단서로 삼아 발품을 부지런히 팔았거든. 덕분에 타락암선을 겨우 찾긴 했는데, 당시 놈과 손속을 나누다가 거의 저승 문

턱까지 갈 뻔했어. 정말이지 다시 떠올리기 싫은 기억이
야."

"엄살은…… 그 승리로 말미암아 노부를 능가하는 무력
을 보유하게 됐으니 이제 와서 괜한 불평은 늘어놓지 말거
라."

"타락암선은 놀랍게도 용신안이 통하지 않더라고. 하지
만 치열한 싸움이 막판에 이르렀을 때 영감이 생을 마감하
기 전 주었던 내단의 힘이 돌연 신묘한 영력을 선사해 그를
무찌르도록 도왔지. 그게 아니라면…… 난 지금 이 자리에
없었을 거야."

말을 끝낸 검무영의 눈빛이 이내 어둡게 가라앉았다.

전방에 선 검룡제의 신형이 돌연 반투명하게 변하며 연
기인 양 사위로 조금씩 흩어지기 시작한 까닭이었다.

바로 혼기의 승천을 알리는 현상이다.

지극히 짧은 만남, 그리고 다음을 기약할 수 없는 이별.

떠나야 할 때다.

이제 사제 지간의 마지막 인사만 남았다.

검무영의 눈빛이 거듭 어둡게 변하며 심경을 대변했다.

'이토록 빨리…… 하늘도 참 야속하군.'

호흡지간 검룡제가 가만히 웃음기를 머금더니 괜찮다는
듯 외팔을 들어 손짓을 보냈다.

"네가 있기에 내 안심하고 떠날 수 있느니라."

"영감, 혹 용신비곡의 유골을 통해 환생하는 건 불가능해?"

검무영의 나지막한 목소리.

자못 아쉬운 마음에 그렇게 물은 것이다.

고개를 가로저은 검룡제가 마주 조용한 음성을 내뱉었다.

"안 된다는 것을 너도 잘 알고 있잖으냐. 설사 가능하고 한들 신이 된 몸이 천리를 거스르는 건 크나큰 죄이니라."

쓴웃음을 지은 검무영이 머리를 끄덕이곤 검룡제의 얼굴을 응시했다. 그는 새삼 가슴에 울컥 치미는 뜨거운 무엇을 느끼며 주먹을 꽉 움켰다.

뒤이어 입술이 열리고.

"영감은 끝까지 고생만 하다가 가네."

"녀석…… 고생은 무슨, 난 그저 천부의 뜻을 받들어 의당 행해야 할 책무를 다했을 뿐이다."

그렇게 말한 검룡제의 몸이 급속도로 투명하게 화한다.

'아……!'

검무영이 속으로 탄성을 터뜨린 찰나 검룡제의 목소리가 귓전에 와 닿았다.

"우리의 인연은 여기까지로구나. 부디 잘 지내거라, 무영아."

"영감, 나 지금…… 잘하고 있는 건가?"

"물론이다. 생전의 나보다 더 훌륭히…… 너는 장차 새로운 보금자리인 청풍검문을 통해 더욱더 큰 뜻을 펼 수 있을 것이야. 암, 누구 제자인데."

그때 검무영이 정중히 예를 갖춰 절을 올리며 가슴 속에 담아 놓은 말을 꺼냈다.

"고맙습니다, 사부님."

그렇지만…… 대꾸는 들리지 않았다.

연기처럼 사위로 흩어지던 검룡제의 혼기가 어느새 자취를 감춘 것이다.

동시에 심계는 용신비곡의 풍광을 일시에 지우곤 예의 백색 공간으로 변했고, 몸을 일으킨 검무영은 안광을 번뜩이며 중얼거렸다.

"하늘 밖에 또 하늘이 있음을 확실히 깨닫게 해 주마."

*   *   *

검무영이 용신안을 갈무리하며 면전의 상대를 가만히 바라보았다.

뒷머리를 잡힌 상태의 천무외는 별안간 숨 막히던 무형지기가 느슨해지고 있음을 느꼈다.

'끄윽…… 뭐지?'

직후 뇌리를 스쳐 지나가는 생각들.

짧은 시간에 많은 공력을 소모하는 능력인 용신안을 무리하게 쓴 영향이 아닐까? 그 때문에 힘이 급격히 줄어 버린 걸까? 그렇다면 다시 한 번 절호의 기회를 잡을 수 있지 않을까?

검무영이 이내 속삭이듯 이르기를.

"지금부터 수마대령 흉내는 낼 수 없을 것이다."

말이 끝나기가 무섭게 천무외의 근골이 일제히 기음을 연주하며 변화하더니 곧 빠른 속도로 본래의 외형을 갖췄다.

앞서 흑룡의 혼을 통해 터득한 어두운 힘을 모조리 빼앗긴 탓이다.

그렇지만 몸에 보유한 기존의 용신기는 빼앗기지 않았는데…….

천무외는 마지막 희망의 빛을 발견했다.

'옳아, 의도와 달리 빼앗지 못한 게로구나! 봉인된 용신의 혼을 해방시키느라 대량의 힘을 써 버린 까닭에……!'

그 판단이 옳은 건지.

슈슈슈슈슈슈슈슈—!

검무영이 회소의 용신기로 배의 관통상을 치유한 순간 천무외의 전신을 옥죄던 무형지기의 압력이 거짓말처럼 소멸했다.

'지금이다!'

눈을 빛낸 천무외는 사력을 다해 우수의 검을 내리그었다.

종단의 참격인 멸절의 용신기.

슈카아악!

한데 예리한 파공음은 찰나에 멈췄다.

덥석.

순식간에 재생의 용신기를 운용한 검무영이 맨손으로 그 칼날을 붙잡아 버린 것이다.

이어서.

꽈드득, 꽈득— 쩌저적, 쩌적—!

검무영의 악력에 의해 용 문양이 음각된 칼날이 그대로 조각조각 부서졌다.

하나 천무외가 경악할 틈도 없이 파공음이 터져 나왔다.

파하앙—!

무형지기의 충격력에 의해 천무외의 신형이 일 장 뒤로 튕겨 나가 지면을 나뒹굴었다.

"컥……!"

바닥에 엎어진 그는 핏물을 토한 후 힘겹게 고개를 들어 전방으로 눈길을 던졌다. 그러자 검무영이 휘적휘적 걸어오는 모습이 보였다.

"무릇 사람의 두려움은…… 자신이 모르는 것에서, 또한 이해할 수 없는 것에서 비롯되지. 네게 있어 난 그런 존재야."

검무영의 말에 천무외는 아무런 말도 꺼낼 수 없었다. 단지 상대에 대한 공포만이 뇌리와 흉중을 지배할 따름이었다.

간극을 좁혀 드는 검무영이 목소리를 잇고.

"지금 이 순간 맘껏 두려워해라. 죽으면 그마저도 느끼지 못할 테니……."

동시에 좌수를 내뻗는 그.

휘이익―!

허공섭물에 이끌린 천무외의 신형이 눈 깜짝할 사이 검무영의 앞에 이르렀다.

푸우욱―!

검극이 배에 쑤셔 박히자 천무외는 통성조차 지르지 못한 채 신형을 부들부들 떨었다. 그 와중에 재생의 용신기를 운용했으나 무용지물이었다.

"변절한 놈 따위한테 이 상승 공부를 꺼내 보이는 것이 아깝다만…… 이는 너로 인해 긴 세월 희생을 감수해야 했던 영감을 대신한 앙갚음이다."

검무영은 그렇게 말한 후 재차 허공섭물을 이용해 천무외의 신형을 오 장 위 허공으로 띄워 올렸다.

츄학, 츄하악, 츄학—!

가죽이 연속적으로 찢기는 듯한 음향, 그것은 바로 천무외의 나머지 한쪽 팔과 두 다리가 강대한 무형지기에 의해 무참히 뜯겨 나가는 소리였다.

'끄허어…… 끄허…….'

공중에 머문 천무외가 연신 세찬 경련을 일으키는 가운데.

슈슈슈슛, 츠츠츠츳, 치치치칫, 콰우우웅……!

검무영이 움킨 천룡신검의 날을 따라 각종 용신기가 한꺼번에 발출되어 그 신형을 중심으로 화려히 맴돌았다.

천무외는 예의 고통도 잊을 만큼 강렬한 전율에 휩싸였다.

'마…… 말도 안 되는…… 여러 가지 용신기를…… 동시에 운용하다니…….'

두 눈으로 직접 보고도 쉬이 믿기지 않는 경이로운 광경이다.

"내 힘은 네 머리로 짐작할 수 없는 수준이다. 뭐, 심계로 들어 공력을 좀 많이 썼지만 너와 저편의 수마인 무리를 말끔히 죽여 없앨 정도의 공력은 아직 충분해. 자, 이제…… 그 더러운 머리털 한 올조차 이 세상에 남기지 말고 떠나라."

검무영은 그 어느 때보다 짙은 투기와 살기를 내뿜으며 허공의 천무외를 향해 우수의 천룡신검을 휘둘렀다.

슈아아아, 슈아아아아아, 슈아아아— 콰콰콰콰, 콰콰콰콰콰콰—!

저마다 웅장한 자태를 뽐내며 맹렬히 솟구치는 용신기들.

쫘르르르르르르르르르르릉!

평야 전체를 뒤흔드는 폭성과 함께 천무외의 육신은 먼지처럼 화하며 깨끗이 소멸했다.

*   *   *

절벽 위 성채 내의 광장에 대기하고 있던 빙옥군은 요란스러운 소리를 듣자마자 원진을 이루며 한데 모여 섰다.

"문을 개방하라!"

빙염시의 외침에 철커덩, 철커덩! 하며 사방 성벽의 문이

활짝 열리고.

슈슈슈슈슈슈슈슈슈……!

강선림 소속 무인들, 그리고 남룡정 신화검공 문수를 비롯한 정파와 사파 고수진이 수마인 무리를 유인해 안으로 발을 들여 빙옥군 곁으로 향했다.

그것을 본 빙염시가 수신호를 보내자 빙부백장화 수교월을 비롯한 빙옥군이 일제히 쌍수를 놀렸다. 직후 방대한 빙기가 원진을 이룬 대형을 따라 뿜어져 나오더니 마치 작은 산을 방불케 하는 거대한 얼음 장벽이 생성되었다.

이것은 예전 북리상이 초대 궁주 때부터 긴 세월을 대물림한 신비로운 기보 백빙경을 조각조각 나눠 주었던 힘을 기반으로 만들어 낸 빙결의 절진이었다.

성채 내부로 진입한 문수는 문득 불길한 예감에 휩싸였다.

'뭐하는 짓이지? 아니, 이제 와서 방어의 빙벽 따위를 쳐 본들……!'

바로 그 순간.

우지지지지직, 우지지지지지직!

성채의 바닥 전체가 마구 갈라져 터지더니.

꽈과과과광, 꽈과과과과광, 꽈과과광, 꽈과과과광— 화르르르륵, 화르르르르륵, 화르르륵—!

요란한 폭성과 더불어 존재하는 모든 것을 잿더미로 만들어 버릴 듯한 붉은 염화가 극열의 숨결을 토하며 내부로 든 적을 일시에 뒤덮쳤다.

"끄하악!"

"으아, 으아아……!"

"사, 살려…… 끄으윽!"

"커어억!"

사방에 난무하는 괴로운 비명들.

무려 삼천 개가 넘는 폭뢰가 발출한 불길 앞에 끔찍한 화형식이 전개되는 가운데 그 엄청난 열기로 말미암아 빙벽의 표면이 빠르게 녹아내리기 시작했다.

그때 허공으로부터 그림자 하나가 원진을 이룬 대형 복판으로 뚝 떨어져 내리는데.

"므머머머머머!"

영물인 소, 등심이었다.

"탈출하자!"

짧게 외친 빙염시가 즉각 그 꼬리를 붙잡자 등심이 위로 가볍게 떠올랐고 빙옥군과 정파, 사파 고수진이 저마다 다리에 다리를 붙잡으며 대롱대롱 길게 매달렸다.

등심은 혀를 날름대곤 곧 고절한 도약의 묘용을 발휘하는 상승 신법들 중 최고라 평하는 절정의 경공술 어기충소를 시전해 창공을 찌를 듯 높이 솟구쳤다.

"므머머머머, 므머머머머머!"

그렇게 등심이 허공의 까만 점이 되었을 때 성채를 받치고 있던 절벽이 거대한 폭발을 일으키며 통째로 무너져 내렸다.

콰콰콰쾅, 콰콰콰콰쾅, 콰콰쾅…… 와르르르, 와르르르르, 와르르……!

천험한 곡지 전체를 자욱이 뒤덮는 잿빛 연기.

온갖 바윗덩이가 조약돌처럼, 무수한 거목이 장작개비처럼 부서져 비산하며 폭뢰 삼천여 개의 가공스러운 위력을 대변한다.

약간의 시간이 흐른 뒤, 성채와 절벽이 일시에 붕괴된 공간은 여전히 방대한 염화가 치솟는 중이었고 또 무수한 시신들 파편이 불타는 역겨운 냄새가 사위에 진동했다.

파팟—

전면이 무너져 내린 절벽 위쪽의 평지에 한 인영이 신쾌한 동작으로 시커먼 연기를 헤치고 나와 가까운 고목에 등을 기대고 섰다.

"크윽……."

짤막한 신음을 발하는 그 인영은 수마인의 외형을 한 남룡정 문수였다.

무복의 절반 가까이가 불타 버린 그는 즉각 숨기를 고른 후 내공을 운용해 일련의 충격으로 흔들렸던 체내 기혈을 안정시켰다.

다행히 큰 부상은 피했다.

앞서 엄청난 불길이 솟구친 순간 수마인 무리 중 일부가 방패막이가 되어 준 까닭에 이렇듯 가까스로 몸을 뺄 수 있었던 것이다.

하나 대규모 폭발과 더불어 합영달, 목문율형의 주도로 설치된 진이 각종 암기를 마구 발출한 영향으로 온몸에 자잘한 혈선이 가득했다.

그때.

휘휘휙, 휘휘휘휙, 휘휙—

가벼운 풍성이 잇달아 들리더니 사백여 명의 인원이 연기 자욱한 공간을 뚫고 나타나 문수 주위로 모여 섰다. 바로 폭뢰의 불길을 견디고 잔존한 백우선령, 영화선령 등 강선림 소속 무인 수십 명과 몸 여기저기에 상처를 입은 수마인 무리였다.

'제기랄…… 고작 이 인원이 전부인가?'

문수는 분한 듯 두 눈을 매섭게 부라리며 이를 악물었다.

절망적인 상황이다.

수마인 무리까지 동원한 전력이 무려 칠 할 이상 전사하고 말았으니까.

백우선령이 곧 나지막한 목소리를 흘렸다.

"전력 손실이 너무 크지만…… 그래도 도황이 이곳에 안계셔서 다행입니다. 우리로선 아직 반전의 기회가 남아 있는 셈이지요."

사해쌍도황 섬맹이 건재한 이상 패배할 리 없다는 확고한 믿음을 내포한 눈빛.

문수가 미간을 살며시 찌푸렸다.

"음, 자네 말마따나 그건 다행한 일이나…… 사태가 이지경에 이르니 도황께서 혹 천붕대검존의 암계에 발목을 붙잡히신 건 아닐까 조금 염려스럽구먼."

별안간 메아리 같은 전성이 울리고.

『사해쌍도황은 이미 숨을 거두었다.』

동시에 웬 인영 하나가 멀지 않은 곳에 귀신처럼 기척도 없이 등장했다.

화들짝 놀란 문수, 백우선령 등은 신속히 임전태세를 갖췄고 수마인 무리도 뾰족한 송곳니를 드러내며 상대를 경계했다.

인영의 정체는 천패검붕 군율.

쿠쿠쿠쿠, 쿠쿠쿠쿠쿠……!

묵진겸의 안배에 의해 내공 수위가 가파르게 증가한 군

율이 체외로 무형지기를 내뿜자 대기가 요란한 진동을 일으켰다.

직후 그의 등 뒤로 붕옥무결검 동리을흥을 위시한 대붕성의 전주들, 회주들, 그리고 휘하의 검수 무리가 나타나 병풍처럼 도열했다.

뒤이어 사방으로부터 무수한 기척이 일며 철무련, 남궁세가, 흑운무궁, 성하상무궁, 천환신문, 소림사, 무당파 등이 넓은 포위진을 구축했고 하늘 높이 솟구쳐 사라졌던 등심과 빙염시, 빙옥군과 정파와 사파의 여러 고수진도 허공을 격해 떨어져 내려 그 포위진에 합류했다.

존자 반열의 강자들 창궁검존 남궁시성, 흑운신패 태사진, 유성검신 임총, 신무불 해각대사, 환우비영신 좌헌, 태극무존 청허진인, 운해검노 진수는 이 싸움을 끝내기 위해 각자 체내 공력을 한껏 이끌어 냈다.

드드드득, 드드드드득— 꽈직, 꽈지직, 꽈직—!

여러 초인의 육중한 무형지기가 한데 어우러지자 지진이 난 것처럼 마구 진동하며 갈라져 터지는 땅.

문수 곁에 자리한 백우선령이 눈매를 가늘게 좁히며 물었다.

"도황께서…… 전사하셨다고?"

사해쌍도황 섬맹의 초절한 무위를 누구보다 잘 알고 있

기에 상대의 말을 도저히 믿을 없다는 기색이 역력했다.

군율이 문득 고개를 숙여 자신의 우측 허리에 걸린 묵진 검의 유품 붕백을 힐긋 보더니 곧 백우선령을 향해 입을 열었다.

"우리 강호 무림을 얕본 대가를 죽음으로써 치른 것이지. 난 이제 사부님의 유언을 받들어 너희를 멸하고 본 성을 장차 올바른 길로 인도해 나가리라!"

호기로운 선언이 끝나기가 무섭게 그 우수에 들린 붕익의 칼날을 따라 치솟는 날개 모양의 기류들.

대붕천심검법의 절초 대붕조익난검무를 시전하려는 것이다.

백우선령과 영화선령이 선공을 양보할 수 없다는 듯 용천혈로 내력을 폭사하며 전방으로 돌진했다.

파파파팟, 파파파파팟—

안광을 번뜩인 군율도 질세라 우수에 검쥔 붕익을 휘둘렀다. 그러자 대붕의 날개 수백 개가 예기를 머금은 날카로운 칼로 화한 것 같은 거대한 기류가 회오리처럼 맹렬히 뻗어 나갔다.

촤촤촤촤촤, 촤촤촤촤촤촤, 촤촤촤촤—!

막대한 검력을 과시하는 절초 앞에 백우선령과 영화선령의 육신은 순식간에 수십 조각으로 썰려 나가며 비릿한 핏물을 퍼뜨렸다.

후두두둑…… 후두두두둑…….

남궁시성, 태사진, 임총 등 초인 일동은 저마다 놀란 표정을 지으며 머리털이 쭈뼛 서는 전율에 휩싸였다. 방금 군율이 구사한 대붕조익난검무의 위력이 묵진겸의 그것을 훌쩍 능가하는 듯했기 때문이다.

이내 빙염시가 묘한 눈빛으로 중얼거리기를.

"멋있네, 내 남자……."

그러곤 자기도 모르게 두 뺨을 살짝 붉힌다.

강선림의 두 고수를 단숨에 처치한 군율은 숨 돌릴 틈도 없이 다음 검초를 전개했다.

슈우욱—

주인의 손을 떠난 붕익이 새처럼 거리를 격해 쏘아져 나가며 한 마리 대붕이 날개를 좌우로 편 채 발톱을 세워 비상하는 형상의 검기를 발출했다.

콰아아아아아아아아—!

앞서 사해쌍도황 섬맹의 목숨을 빼앗은 천붕어검도의 새로운 절초 천붕만리황.

신형을 흠칫한 문수가 황급히 검을 놀려 극성 공력의 검기를 쏘았지만.

퍼어엉—!

붕익은 단숨에 상대의 검기를 무참히 쇄파해 버린 후 똑바로 쇄도해 그 가슴팍을 관통했고 뒤쪽에 있는 수마인 십여 명의 몸통마저 무참히 꿰뚫어 버렸다.

꾸직, 우드득— 푸하악, 푸하아악……!

뼈가 부러지고 살이 무참히 터져 나가는 섬뜩한 음향들, 그것은 곧 용신부 무리의 패망을 예고하는 소리나 마찬가지였다.

군율의 엄청난 신위에 감명을 받은 남궁시성이 두 눈을 빛내더니 우렁찬 전성을 터뜨리고.

『전원 진격하라! 총력을 기울여 단 한 명도 살려 둬선 안 될 것이야!』

동시에 사방을 포위한 채 진형을 갖추고 있던 인원이 경공술로 지면을 박차며 중앙에 있는 적을 사납게 덮쳐 갔다.

*　　　*　　　*

청풍검문 경외의 숲.

철탑파천쇄옥진이 발동한 공간은 말 그대로 아수라장으로 화한 상태였다.

투투투툿, 투투투투툿, 투투툿, 투툿—!

당능통이 제작한 스물네 개의 견고한 철탑은 쉴 새 없이 기음을 연주하며 온갖 암기를 토했고 그럴 때마다 수마인 무리는 온몸에 상처를 입고서 쓰러져 괴로움에 몸부림치다 숨이 끊겼다.

철탑파천쇄옥진의 묘용은 한 가지가 아니었다.

각종 암기를 발사하는 것 외에 뇌성을 동반한 음력으로 머릿속을 어지럽히며 내상을 유발했고 또 붉은 운무와 같은 기류를 내뿜어 체내 기혈의 흐름을 방해하며 공세 방향을 종잡기 힘들게 만드는 묘용이 함께 발휘되는 중이었다.

기존의 철탑파천쇄옥진 위에 천마신교의 혼천마뇌진, 혈교의 십방혈천결계 고유의 요체가 더해져 절묘한 조화를 이룬 덕분이다.

천중팔절의 하나이자 용신부의 하룡정인 오운창사 계철은 분한 듯 이를 빠드득! 갈았다.

'크흠…… 이대로 가다간 애꿎은 전력만 모조리 잃고 말겠구나!'

자신을 비롯한 수마인 무리 중 절반은 다행히 철탑파천쇄옥진의 범위 밖에 위치했지만 그렇다고 해서 상황이 좋은 건 결코 아니었다.

대천마도공 갈무정, 마심검공 후효, 개벽마부공 야소를 위시한 천마신교와 혈천마신령 첩헌진, 혈영권마왕 기흠, 귀모혈왕 솔망 등을 앞세운 혈교에 더해 청풍검문의 적전제자들, 평제자들의 합격까지 받고 있는 터라 일련의 전황 자체가 혼란스러웠기 때문이다.

게다가.

슈슈슈슈슈슈, 슈슈슈슈슈슈!

흑색 마기와 적색 마기를 폭풍처럼 내뿜는 천마신교주 천마제 광뢰와 혈교주 혈마대제 적우신은 절륜한 칼질로 적을 압도했다.

각고의 노력 끝에 천마대공과 혈폭신마공 요체의 합일을 이룬 두 마인.

쐐애액, 쐐액, 쐐애애액—!

광뢰의 신물 천마정과 적우신의 신물 혈마루가 바람을 날카롭게 가르면 수마인 무리는 예외 없이 온몸이 폭발하듯 터져 급속도로 부패를 일으키며 까만 가루가 되었다.

천무외는 당초 용심마단을 이용해 만든 수마인이 천마대공 속성에 대항할 수 있는 내성을 가지게끔 안배했다. 하지만 검무영은 한 발 더 나아가 아내인 하연설의 특별한 재능을 이용해 상처를 부패시키는 광뢰의 마력과 혈맥을 뜨겁게 달궈 터뜨리는 적우신의 마력이 하나로 뭉치게 안배했고 그 결과 수마인 무리는 현재 두 교주의 힘을 감당하지 못한 채 속수무책으로 목숨을 잃어 갔다.

적우신은 확실한 승기를 잡았다는 생각에 혈마적혼검법

에 이어 교내 최고 검학인 혈마경천검의 오대 절초를 연달아 뿌렸고 그에 맞춰 광뢰도 극성의 겁천흑마검기, 십천마류흑무공에 이어 천마현신폭광운기를 운용했다.

퍼벙, 퍼버벙— 꽝, 꽈광, 꽈과광—!

숲을 뒤흔드는 우레와 같은 굉음들, 그리고 연속적으로 들리는 수마인 무리의 비명들.

"크악!"

"끄르륵……!"

"커컥!"

광뢰와 적우신의 맹활약에 힘입어 천마신교도들, 혈교도들 또한 기세가 바짝 올라 한층 강맹한 손속을 뿌려 댔다.

같은 시각, 두 교주와 마찬가지로 군계일학의 무위를 떨치는 존재가 또 있다.

바로 개새였다.

사천청풍대회 당시처럼 몸집이 거대하게 변한 개새는 이제껏 펼쳐 보인 적 없는 초절한 기예를 앞세워 수마인들 수를 빠르게 줄여 나가는 중이었다.

—크아아아아아아앙!

마치 맹수 수천 마리가 일제히 포효하는 듯한 개새의 괴성.

동시에 활짝 벌린 입으로부터 가공스러운 음력과 더불어 검기 같은 무형의 예기가 거대한 돌풍처럼 발출되고.

퍼퍽, 퍼퍼퍽, 퍼퍼퍼퍽, 퍼퍼퍽…… 푸학, 푸하아악, 푸하악, 푸학……!

그 방향 선상의 수마인 오십여 명이 일제히 머리통이 으깨지고 몸통이 마구 잘려 나가며 흉측한 시신으로 화했다.

사자후가 아니다.

단지 형식이 흡사할 뿐, 음공의 지고한 영역마저 초월해 새로운 무학의 경지를 이룩한 개새 고유의 최상승 내가 기공이다.

짐승의 무공 잠재 능력이 이 정도라면 가히 하늘이 내린 영물이란 표현조차 부족할 지경인데.

"크르……!"

개새가 사나운 소리를 흘린 찰나 전신의 털이 곤두서더니 번쩍이는 바늘 같은 빛살의 기류가 무수히 뻗쳐 나왔다.

치치치칫, 치치치치칫, 치치칫—!

눈을 번뜩인 개새는 그대로 지면을 박차고 전방으로 돌진해 수마인 십여 명을 일렬로 강하게 들이받았다. 그러자 수마인들 육신이 순식간에 잘게 쪼개져 허공으로 비산했다.

투두둑, 투둑, 투두두둑, 투두둑……!

마치 셀 수도 없는 절세 신검의 칼날들 앞에 무참히 썰려 나가는 듯한 광경.

경이롭게도 개새가 체외로 내뿜은 가늘고 기다란 그 빛살의 기류 하나하나는 막대한 공력이 실린 날카로운 검기였다. 즉 몸뚱이 자체가 수많은 검기를 한데 뭉쳐 내뿜는 것과 같은 절륜한 검초라 봐도 무방했다.

파바박— 츄학, 츄하학, 츄학—!

개새가 맹렬한 돌진을 행할 때마다 지면엔 수마인 시신들 조각이 수북이 쌓이며 꿈에 나올까 두려운 아수라도를 만들었다.

지금까지 개새가 홀로 죽여 없앤 수마인들 수는 삼백을 훨씬 넘겼다. 무려 전체의 삼분지 일 남짓한 전력이 오직 개새한테 멸사를 당한 것이었다. 그리고 그 수는 돌진 공세로 인해 계속 늘어만 갔다.

"앙앙!"

"앙, 앙앙!"

개소름, 개이득, 개간지, 개폭망은 그런 개새를 보좌해 잔존한 수마인을 하나둘씩 쓰러뜨렸고 청풍검문 적전제자들, 평제자들 또한 사기가 충천해 지칠 줄 모르는 공세를 퍼부었다.

시간이 얼마 지나지 않아 수마인 무리의 수가 눈에 띄게 줄어 버리자 하룡정 계철은 승산이 없음을 인정하는 수밖에 없었다. 그런 그의 시선이 이내 저편에 있는 한 노검수 쪽으로 향했다.

　'갈! 이렇게 된 이상······.'

　노검수의 정체는 바로 청풍검문 적전제자들, 평제자들의 합격을 지휘하고 있는 문주 하육기였다.

　별안간 계철의 눈동자가 이채를 뿜고.

　'아니지! 어차피 오래 살지도 못할 늙은이는 놔두고 차라리 저 계집을 죽이는 편이 검무영한테 큰 심적 충격을 가할 수 있으리라!'

　목표는 하연설.

　쾅!

　지면을 강하게 찬 계철의 신형이 화살처럼 쏘아져 나갔다. 그러자 주변에 있던 수마인 무리 오십여 명도 덩달아 하연설이 자리한 곳으로 쇄도했다.

　파파파파파, 파파파파파파—!

　멀지 않은 곳에 자리해 적을 섬멸하던 광뢰와 적우신이 그 의도를 간파하고 운신하려는 찰나 하연설의 전음이 귓전에 와 닿았다.

　『우리가 끝을 내겠어요!』

직후 하연설의 좌우로 단선후, 마봉, 양욱, 선우경리, 표필, 윤결 등 청풍검문 일동이 횡대를 이뤄 서더니 저마다 칼날 위로 멸절의 용신기를 내뿜었다.

이어지는 놀라운 변화.

츠츠츠츠츠츠츠츳—

하연설의 뇌천이 신비로운 빛살을 퍼뜨리며 다른 적전제자들, 그리고 평제자들 뇌천과 연결이 되자.

슈슈슈슈, 슈슈슈슈슈, 슈슈슈……!

각자의 검에 맺힌 멸절의 용신기가 앞쪽으로 나와 뭉치더니 눈에 다 담기 힘들 만큼 거대한 형태로 바뀌었다.

천무여와성맥의 신력을 통해 수십 명이 발출한 멸절의 용신기가 일합을 이룬 것이다.

계철과 그 뒤를 따르던 수마인 무리가 움찔한 순간 하연설의 우수에 들린 설옥검이 전방을 횡단하며 파공음을 터뜨렸다.

슈아아아아아아아아앗!

동시에 그 궤적을 따라 거대한 멸절의 용신기가 쾌속하게 뻗어 나가더니 계철과 뒤쪽 수마인 무리를 일시에 절단시켜 버렸다.

푸하악, 푸학, 푸하아악, 푸학—!

실로 가공스러운 검력을 발휘한 참격.

창졸간에 무참히 잘려 나간 시신들 전부가 미세한 가루로 화해 흩날리며 자취를 감췄다.

하연설은 지친 표정으로 숨기를 고르며 중얼거렸다.

"후우, 후우…… 이제 나도 한계야. 두 번은 쓸 수 없을 것 같아."

광뢰와 적우신은 손속을 놀리던 와중에 그 광경을 놓치지 않고 보았다. 그러곤 머릿속으로 똑같이 생각했다.

'저 아이는 장차 검 교두 다음가는 강자로 발돋움하겠구나.'

그때부터 전장의 상황은 빠르게 정리되었다.

청풍검문을 비롯한 천마신교, 혈교의 정예 전력 앞에 잔존한 수마인 무리는 삼십여 명에 불과했고, 그마저도 개새와 개소름, 개이득, 개간지, 개폭망의 공세 앞에 차례로 숨을 거두었다.

"아! 드디어 이겼다!"

양욱이 환한 표정으로 소리를 지르자 옆의 마봉이 인상을 찌푸리며 말했다.

"들뜨지 마, 민둥이. 저쪽엔 아직 훨씬 더 많은 수의 수마인 무리가 기다리고 있을 테니까."

현재 관궁, 운몽향아, 공야휘 등이 분전 중인 장소를 뜻함이었다.

그런데 갑자기.

"커엉!"

개새가 대가리를 번쩍 들며 짖더니 중인의 머릿속으로 혜광심어를 울렸다.

『애늙은이가 위험하다! 가서 도와야 해!』

그러곤 네 발로 땅을 쾅! 박차고 도약하더니 눈 깜짝할 사이에 허공 저 멀리로 날아갔다.

호홀지간 하연설을 비롯한 문도들의 낯빛이 일변했다.

'교관님께서…… 위험하시다고?'

'아니, 천하의 사종검황이 지금 절명의 위기에 처했다는 건가?'

'설마……!'

그때 광뢰와 적우신이 나란히 우렁찬 전성을 터뜨렸다.

『어서 가자!』

『자, 다들 움직여라!』

＊　　　＊　　　＊

극성 공력의 앙천파초마선기가 지상에 어마어마한 음영을 드리우며 떨어져 내리자.

콰콰콰콰콰콰콰콰쾅—!

반경 십 장의 지면이 아래로 움푹 꺼져 내리며 굉음을 토했고, 그 육중한 힘에 짓눌린 수마인 팔십여 명이 납작한 육편으로 화해 피분수를 퍼뜨렸다.

바람을 타고 번지는 비릿한 혈향.

그것을 본 주위의 수마인 오십여 명이 광분해 듣기 거북한 괴성을 지르더니 운몽향아를 노려 질풍처럼 쇄도했다.

"이 지긋지긋한 괴물들."

짧게 중얼거린 그녀는 호흡을 고르자마자 최대 공력을 발휘한 무독석화파멸공을 시전했다.

퍼퍼퍼퍼펑, 퍼퍼퍼퍼펑—!

수마인 오십여 명은 거리를 좁히지 못한 채 뒤로 세게 튕겨 나가 일제히 돌로 화하더니 조각조각 깨지며 부글부글 끓는 기포로부터 연기가 솟아오른다.

개화극독요신공을 운용 중인 운몽향아는 쉬지 않고 강맹한 손속을 뿌렸다.

슈아아아아앗— 츄츄츄츄츄츄—!

사나운 파공음과 더불어 거대한 마운파초선이 발출한 연홍색 독기가 무수한 꽃잎처럼 전방으로 휘몰아쳐 간다.

퍼퍼퍼퍼퍼퍼퍼펑……!

수마인들 몸은 그 극독의 기운에 의해 급속도로 부풀더니 연쇄적인 폭발을 일으켰고 온갖 살점과 뼛조각이 사위로 어지러이 비산했다.

현재 운몽향아의 옥용과 교구는 땀으로 흠뻑 젖은 상태였다. 헤아릴 수도 없을 만큼 엄청난 수를 자랑하는 수마인 무리를 상대로 연거푸 대량의 공력을 쏟아부은 절기를 펼친 까닭이었다.

일신의 내공 수위가 아무리 높다 한들 무한적인 건 아니기에 시간의 흐름에 따라 몸이 지치는 것이 당연했다.

'후우…… 개화극독요신공을 유지하는 것도 조금 있으면 한계에 부딪칠 거야!'

전장 내의 다른 고수들 상황 또한 그녀와 별반 다르지 않았다.

철화검성 공야휘, 빙백무종 북리상, 천독태왕 지랄굉, 금수태령 목남, 흑정독고 매률, 적혈검마 승조운, 겸마주 망역 등 여러 강자들은 연이어 많은 기력을 소진하여 얼굴에 피곤한 기색이 역력했다.

앞서 수마인 무리의 등장에 맞춰 혈수검왕 신율, 검륜수사 백리대약, 승천무장 역류흔, 파천신군 당효악, 무학선생 석대송 등 청풍표국, 진천당가, 사천성 정파 협회를 비롯한 추가 전력이 이곳으로 와 가담했지만 수마인들 수가 워낙 방대해 죽이고 또 죽여도 끝이 보이지 않는 듯한 기분이었다.

환상검문의 문주 소천검절 달충묘는 이제껏 경험해 보지 못한 공포를 느끼며 사력을 다해 칼을 휘둘렀다.

'으…… 무시무시하구나!'

연신 광포한 기세로 돌진해 드는 수마인 무리를 상대하고 있자니 이곳이 지옥인가 싶은 생각마저 들 정도였다.

곁에 자리해 검초를 뿌리던 신율이 신속히 전음을 보냈다.

『심상이 흔들리면 곤란하네! 그래도 적의 수가 줄어들고 있으니 어떻게든 버티게! 교두님께선 반드시 용문검황의 목을 베고 이리로 와 주실 것이야! 그러니…….』

별안간.

퍼어어어어엉, 꽈우우우우웅!

멀지 않은 곳으로부터 일대 공간을 통째로 뒤집어엎을 것 같은 폭성이 터져 나왔다. 그와 동시에 방대한 먼지 폭풍이 일어 장내를 어둑하게 만들었다.

이십 대 모습으로 화한 관궁이 발출한 육중한 검력의 여파였다.

방금 구사한 검초에 의해 무려 이백여 명에 달하는 수마인의 몸통이 반듯하게 절단되어 지면 위를 나뒹구는 것이 보였다.

투두둑, 투둑, 투두두둑, 투두둑…….

이마에 핏대를 세운 관궁이 체내 공력을 아낌없이 이끌어 내며 고함을 내질렀다.

"쌍! 모조리 덤벼 봐!"

그러자 수마인 무리 이백여 명이 원진을 이룬 채 일제히 돌진했다.

파파파파파, 파파파파, 파파파파파—!

흡사 흑색의 거대한 태풍이 관궁을 복판에 가두어 두고 빠르게 조여드는 듯한 광경이다.

두 눈을 번뜩인 관궁은 신형을 한 바퀴 선회하며 우수의 광속신황검을 횡으로 휘둘렀다.

슈아아아아아아아아앗!

공기를 가르는 섬뜩한 파공음, 하나 찬란한 빛을 머금은 원형의 검기가 그 날카로운 소리를 앞질러 사방으로 퍼져 나갔다.

츄하악, 츄학, 츄하아악, 츄학, 츄하악—!

수많은 인원의 허리통이 무참히 절단되는 음향이 일시에 들리더니 시뻘건 피보라가 허공을 가득 수놓았다.

관궁의 무력은 시종일관 이 전장을 통틀어 단연 돋보였다. 그것은 주변에 수북이 쌓인 시신의 수만 봐도 명약관화한 사실이었다.

운몽향아와 더불어 관궁의 강맹한 손속에 의해 현재까지

죽임을 당한 수마인들 수는 도합 이천을 훌쩍 넘겼으니까.

그리고 지금 막 사백여 구의 시신이 다시 추가되었다.

사상존의 으뜸인 공야휘도 소름이 끼칠 정도로 무시무시한 힘을 과시하는 중이었지만 아직 관궁, 운몽향아가 거둔 성과에 미치진 못했다.

바로 그때.

"끄윽!"

짧은 신음을 발한 관궁의 낯빛이 돌연 새하얗게 질렸다.

뚜둑, 뚜두둑―!

일부 근맥이 기이한 소리를 연주하며 뒤틀리더니 엄청난 고통이 엄습한다.

"끄…… 흐으……!"

순간 몸의 중심을 잃은 그가 괴로운 표정을 지으며 바닥에 왼쪽 무릎을 쿵! 찍었다.

숨통이 꽉 막혔다.

심맥이 갈가리 찢겨 나가는 것처럼 아팠다.

이어서 전신이 마구 떨리고 칼을 움킨 손아귀의 힘도 풀렸다.

'윽! 이것은 모종의 부작용……?'

아마도 반로환동을 역행한 대가일까.

군신과 같은 위엄을 떨치던 관궁이 뜻밖의 허점을 노출

하자 수마인 일백여 명이 기다렸다는 듯 지면을 박차고 사납게 내달렸다.

"크학!"

"우어억!"

대략 이 장 남짓한 거리, 살강을 포함한 특제자 일동은 그 모습을 보곤 저마다 화들짝 놀랐다.

"교, 교관님!"

"이런, 어서 엄호를……!"

하지만 주변 수마인 무리의 맹렬한 공세 때문에 다들 쉬이 몸을 뺄 수가 없었다.

마찬가지로 운몽향아, 북리상, 신율 등도 쉴 새 없이 진격해 드는 적을 상대하느라 운신할 틈을 확보하기가 힘들었다.

'젠장, 이대로 당할쏘냐.'

관궁은 초인적인 의지로 고통을 견디며 신형을 일으켜 세웠다. 그 일련의 동작이 너무나 위태로워 보였지만 광속 신황검은 도리어 한층 고강한 검력을 내뿜으며 적을 향해 예리한 궤적을 내그었다.

쐐애애애애애액— 퍼어어어어어엉!

수마인 일백여 명을 모조리 휩쓸어 버린 가공스러운 쾌속의 검세.

무수한 육편이 흩날리고 엄청난 양의 핏물이 허공으로 치솟는 가운데 관궁의 입술 사이로 다시 한 번 통성이 새어 나왔다.

"끄으윽……!"

눈에 띄게 앞뒤로 비틀대는 신형이 그 상태를 대변하는데.

털썩!

관궁은 결국 쓰러지듯 두 무릎을 꿇고 앉았고 창졸간 수마인 십여 명이 기습적으로 등 뒤를 노려 시커먼 장력을 발출했다.

퍼벙, 퍼버벙, 퍼벙—!

큰 충격을 받은 관궁의 신형이 바람에 날린 낙엽처럼 일장 거리로 튕겨 나가 퍽! 하고 땅에 처박혔다.

"컥……!"

시뻘건 피로 물들어 버린 등짝.

외상과 내상을 당한 관궁은 근맥이 뒤틀리는 통증이 더욱더 커져 의식을 유지하는 것조차 버거웠다.

직후에.

스슷, 스스슷…… 스스스슷…….

미약한 음향이 들리더니 관궁의 젊은 외형이 급속도로 노인처럼 변했다.

'크큿…… 자못 허무하군, 내 결국 이렇게…… 생을 마감하는 건가? 아무래도…… 힘을 과하게 써 버린 모양이군. 수명 단축의 시기가…… 이토록 빨리…….'

두 눈을 감은 관궁의 입가에 보일 듯 말 듯한 미소가 스쳐 지나간다. 뭐랄까, 몸은 고통스러운데 마음은 편안한 것처럼.

이내 예의 수마인 무리가 거리를 빠르게 압축해 와 바닥에 엎어져 있는 그의 등짝을 향해 재차 장력을 발출하기 위해 손을 놀렸다.

그 찰나.

—크아아아아아아앙!

가까운 허공으로부터 맹수 수천 마리가 일제히 포효하는 듯한 괴성이 울리자 관궁을 노리던 수마인 십여 명의 머리가 무참히 박살 났고 그 몸도 하나 예외 없이 조각조각 잘려 나갔다.

퍼퍼퍽, 퍼퍼퍼퍽, 퍼퍽…… 푸학, 푸하악, 푸하아아악……!

뒤이어.

지면 위로 쿵! 하며 떨어져 내린 개새가 냉큼 관궁의 얼굴 쪽으로 가 혀를 내밀었다.

찹, 찹, 찹……

추궁과혈을 베풀고 있는 것이다.

그렇지만 어느새 백발의 노인이 되어 버린 관궁은 눈을 꼭 감은 상태로 움직이지 않았다.

"끼히잉."

개새가 귀를 접어 내리며 힘없는 소리를 내뱉는다.

멀리서 그 모습을 본 운몽향아가 진노해 단전의 내공을 무리하게 이끌어 냈다.

"너희가 감히 어르신을…… 용서하지 못해!"

마운파초선이 공기를 가르며 연홍색의 거대한 독풍을 일으키자.

파아아아아아아아아아—

주변의 수마인 일백여 명이 그에 휩쓸려 끔찍한 몰골로 죽음을 맞았다.

"아, 이런……"

나지막한 음성을 흘린 운몽향아도 빠른 속도로 외형이 변하기 시작했다.

츠츠츠츠츠츳.

개화극독요신공 고유의 현상이 사라지고 본래의 모습으로 화해 버린 그녀. 즉 막대한 내공을 더 이상 쓸 수 없는 한계에 도달하고 만 것이다.

때마침 천마제 광뢰, 혈마대제 적우신, 대천마도공 갈무정, 혈천신마령 첩헌진 등 혈교와 천마신교의 마인들, 그리고 청풍검문의 하육기와 휘하 적전제자 일동을 비롯한 인원이 차례로 나타나 치열한 싸움을 거들었다.

필두로 나선 하연설은 천무여와성맥의 신력을 운용해 단선후, 양욱, 선우경리, 그리고 평제자 일동과 함께 합격 검진으로 적에 대항했다.

"정신 바짝 차려야 해! 절대 다치지 마! 이건 명령이야!"

"예, 대사저!"

한편 마봉은 제 앞을 가로막은 수마인 셋을 베어 넘긴 후 즉각 신형을 날려 운몽향아 곁에 자리했다.

"여보! 몸은 좀 괜찮소?"

"암요, 제 걱정은 마세요. 교두님께서 곧 오실 테니 그때까지……."

목소리 끝을 흐린 그녀의 동공이 갑자기 침울한 빛을 띤다.

"아, 교관님……."

마봉도 덩달아 슬픈 표정을 짓다가 지척으로 쇄도해 드는 수마인들 기척을 느끼고 묘성검을 맹렬히 휘둘렀다.

슈아앗, 퍼버벙!

멸절의 용신기에 의해 예의 수마인 무리가 뒤로 세게 튕겨 나가며 비명을 지른다.

운몽향아도 질세라 남은 내공을 전부 짜내 잇달아 손속을 뿌리며 이 싸움을 승리로 이끌기 위해 사력을 다했다.

두 눈에 살기를 머금은 개새 또한 제 새끼 네 마리, 홍청, 망청과 조를 이뤄 맹공을 퍼부었고 중원의 고수들, 새외의 독인들, 마인들 역시 죽기를 각오하고 잔존한 수마인 무리에 맞서 마지막 투혼을 불살랐다.

선혈과 비명이 난무하는 공간.

그렇게 일진일퇴의 혼전이 막을 올리고 얼마 지나지 않은 때에.

쿠구구구구구구구구궁—!

호흡지간 이루 형언하기 힘들 정도로 거대한 무형지기가 공간 전체를 뒤흔들었고 흉맹한 기세를 보이던 수천 명의 수마인이 일시에 동작을 정지했다.

놀랍게도 정체를 알 수 없는 무형지기가 이 많은 인원 중 수마인 무리만 골라 꼼짝달싹 못하게 만들어 버린 것이다.

쩌적…… 쩌저적…… 쩌적…….

땅아 마구 갈라지는 소리가 울리는 가운데 하늘로부터 한 인영이 빛살처럼 뚝 떨어져 내렸다.

뒤이어 무심한 투의 천리전성이 중인의 귓전을 두드리는

데.

『다들 잘 버텨 주었다.』

모두가 그토록 기다린 검무영의 등장이다.

"교두님!"

하연설의 반색한 외침에 검무영이 그 방향으로 눈길을 던지며 일렀다.

"변절자는 이미 저승으로 보내 버렸다. 잠시만 기다려, 지금 이 상황부터 정리하고."

말이 끝나기가 무섭게.

팟!

좌수가 바람을 가르자 수마인 일천여 명이 허공으로 솟구쳐 팔다리를 버둥거렸다.

눈빛을 굳힌 검무영이 즉각 우수의 천룡신검을 위쪽으로 휘두르자 칼날을 따라 각종 용신기가 한꺼번에 발출되어 수마인 무리를 단번에 흔적도 없이 깨끗하게 지워 버렸다.

그것을 본 중인은 저마다 머리털이 쭈뼛 서는 듯한 전율을 느끼며 몸을 떨었다.

'세상에⋯⋯!'

심지어 운몽향아마저 두 눈에 경악의 빛을 잔뜩 머금은 상태인데.

'용신의 전성기를 능가하는 힘⋯⋯ 검 공자는 어느덧 천

신과 맞먹는 영역에 발을 들였구나. 그래, 변절자는 애당초 그의 상대가 아니었어.'

단전을 세차게 돌린 검무영은 그때부터 빠른 속도로 수마인 무리를 죽여 나갔다.

슈슈슈슈슛, 츠츠츠츠츳, 치치치치칫, 파파파파팟, 콰콰콰콰쾅—!

각종 용신기가 이 공간을 화려히 수놓을 때마다 수마인 무리는 제대로 저항도 못한 채 미세한 가루로 화했고, 숨을 몇 번 내쉴 동안에 무려 오천에 달하는 수마인이 멸살을 당했다.

스스스스, 스스스스스스……

어느새 남아 있는 수마인 수는 고작 오백여 명에 불과했다.

호흡을 고른 검무영이 속으로 중얼거리기를.

'영감, 보고 있지?'

그러곤 단번에 수마인 오백여 명을 허공섭물로 높이 띄워 올리더니 우수의 천룡신검을 쾌속하게 휘둘러 진천의 용신기, 광해의 용신기, 천주의 용신기 등을 동시에 쏘았다.

콰콰콰콰콰, 콰콰콰콰콰콰, 콰콰콰콰—!

하늘과 땅을 뒤흔드는 파공음에 이어 거대한 빛살의 기

류에 휩쓸린 수마인 오백여 명은 눈 깜짝할 사이 먼지가 되어 곧 자취를 감췄다.

공야휘, 북리상, 광뢰, 적우신 등 당대의 내로라하는 강자들 모두 검무영의 신위 앞에 넋을 잃었다.

이후로 인세에 다시 나오지 않을 전설적인 존재의 탄생, 그 역사적인 순간과 마주한 것 같은 경외감이 저마다의 흉중에 휘몰아친다.

"후우……."

검무영이 숨을 길게 내쉰 후 우수에 쥔 천룡신검을 이내 묵필 형태로 바꿔 허리 옆에 갈무리하자 우렁찬 소리가 장내에 마구 울려 퍼졌다.

승리의 환호성.

정도와 사도, 그리고 마도, 중원 무림과 변방 새외와 같은 출신에 상관없이 서로를 얼싸안으며 기쁨을 나누는 모습이 그렇게 화목해 보일 수가 없다. 하지만 소중한 동료들 죽음 앞에 마냥 기뻐할 수만은 없어 예의 환호성은 빠르게 잦아들었다.

눈을 지그시 감았다가 뜬 검무영이 뒷짐을 지곤 노인으로 변한 관궁 쪽으로 걸음을 옮겼다. 그러자 운몽향아, 북리상, 하연설 등 청풍검문 일동도 조용히 그 뒤를 따랐다.

슥.

관궁의 곁에 이르러 발길을 멈춘 검무영이 쪼그려 앉더니 좌수를 뻗어 그 시뻘건 등을 쓰다듬었다.

"내가 좀 늦었구나. 잠시 봉인된 영감의 혼기를 풀어 주느라……."

하연설이 울먹이며 목소리를 더듬거렸다.

"흐흑…… 도, 돌아가신 거예요? 그게 아니라면 회소의 용신기로……."

그러자 검무영이 고개를 돌리며 나지막이 말했다.

"숨을 안 쉬고 있어. 어차피 회소의 용신기를 쓸 여분의 내력도 없고."

직후 각급 문도들 입술 사이로 슬픔 가득한 소리가 잇달아 새어 나오기 시작한다.

사종검황 관궁의 죽음을 도저히 믿을 수 없다는 눈빛들. 그렇지만 눈으로 직접 보고 있으니 받아들일 수밖에 없는 사실이다.

돌연 검무영이 심드렁한 얼굴로 입을 열기를.

"시끄러, 내가 언제 죽었다고 했나? 그냥 숨을 안 쉰다고 했지."

동시에 일동의 면상이 기이하게 굳었다.

허! 아니, 지금 저게 무슨 소리야? 그 말이 어차피 그 말이잖아! 숨을 안 쉬는 거면 죽은 거지! 그렇듯 다들 어이가 없다는 표정인데.

한데 그 순간.

관궁의 몸이 움찔하고 움직이자 하연설, 단선후 등 일동이 화들짝 놀랐다.

"엇?"

뒤이어 선뜻 이해하기 힘든 기현상이 나타나고.

슈슈슈슈슈, 슈슈슈슈슈—!

관궁의 체외로 아홉 마리 용과 같은 빛살의 기류가 뿜어져 나와 그 위를 빙글빙글 맴돌자 문도들 모두 다시 한 번 놀란 표정을 지었다.

'헉! 뭐지?'

검무영이 신형을 일으켜 세우며 엷은 웃음기를 머금었다.

"오랜 기간 그 몸에 금제를 가하고 있던 신기가 회복 작용을 시작한 거야."

즉 용신 검룡제, 그리고 검무영으로 대물림된 금제의 신비로운 힘이 위태로운 지경에 빠진 관궁을 원상태로 되돌리고 있다는 뜻이었다.

"금제가 사라지면 향후 애늙은이를 상대하기가 좀 피곤하겠군. 흠, 아쉽네. 대갈통을 맘껏 두들겨 팰 때가 좋았는데."

검무영은 중얼거리듯 말한 후 운몽향아를 물끄러미 바라보았다. 그 의미심장한 눈빛을 접한 운몽향아가 나지막이 물었다.

"왜 그러시죠?"

"할멈도 마찬가지로…… 차마 말을 꺼내기 힘든 그 문제를 해결할 수 있어."

일순 운몽향아의 동공이 작은 파문을 퍼뜨렸다.

"아! 저…… 정말인가요?"

"훗, 물론. 설마 내가 모를 줄 알았나? 기실 그 문제는 일찌감치 파악했지."

옆에 서 있던 마봉이 궁금한 듯 물었다.

"저기…… 차마 말을 꺼내기 힘든 문제라니, 그게 무슨……?"

그러자 운몽향아 대신 검무영이 대답했다.

"할멈은 기실 비기를 운용하면 이후로 영원히 임신을 할 수 없거든. 하지만 금제를 가한 용신기를 풀어 주면 자연스레 고칠 수 있다."

마봉이 눈물을 글썽이며 활짝 웃더니 냉큼 바닥에 엎드려 절을 올렸다.

"감사합니다, 교두님! 진심으로 감사합니다!"

그때 관궁의 몸 위를 맴돌던 빛의 기류가 일시에 체내로

사라졌고 미약한 음향이 연속적으로 들리며 근골이 변화를
일으켰다.

　뚜둑, 뚝, 뚜두둑, 뚜둑─

　육십 대, 오십 대, 사십 대, 삼십 대, 이십 대…… 순차적
으로 바뀌는 외형. 그러곤 다시 예전처럼 열 살배기 남아의
모습으로 화한다.

第九章
새로운 시작

"푸하압!"

거친 숨소리를 토한 관궁이 벌떡 일어나더니 두 눈을 똥그랗게 떴다.

"엇? 뭐야, 싸움이 끝났나?"

어리둥절한 표정을 짓던 그가 이내 제 몸을 살피곤 고개를 갸웃거린다.

명줄이 다한 줄 알았는데, 그 마지막 순간을 분명히 절감했는데 이렇듯 멀쩡히 숨이 붙어 있다니 불가해한 일이었다.

운몽향아가 빙그레 웃곤 자초지종을 가르쳐 주자 그 얘기를 다 듣고 난 관궁이 입매를 씰룩 비틀며 소성을 발했다.

"크흐흣, 그렇단 말이지! 검씨 네놈은 이제부터 날 함부로 다룰 수 없을 터! 이거 기분 좋구먼. 크큭! 가만, 그나저나 식충이 놈은 어디에⋯⋯."

그런 관궁이 눈길을 한옆으로 던지다가 돌연 면상이 새빨갛게 달아올랐다.

"무어냐, 그건?"

분노가 가득 담긴 목소리.

영문을 모르는 일동이 그 방향을 따라 고개를 돌리자 저편에 본모습을 되찾은 개새와 홍청, 망청이 땅을 열심히 파고 있는 모습이 동공에 담겨 들었다. 또 옆쪽엔 만년한철로 만든 시커먼 관 하나가 놓여 있는 것도 보였다.

시선을 마주친 개새가 흠칫 놀라며 동작을 멈추고.

"멍, 멍."

켕기는 걸 감추듯 괜히 꼬리를 살랑살랑 흔들며 애교를 떤다.

하나 홍청, 망청의 태도는 너무나 솔직했다. 두 팻말의 내용이 그랬다.

〈아이고, 이를 어쩐담. 다시 죽어 주시면 안 되겠습니까? 이러면 우리가 여태껏 땅을 판 수고로움이 허사가 되어 버리지 않습니까.〉

〈어허, 네 이놈! 이백 년이 훌쩍 넘도록 살았으면 그만 저승으로 꺼질 것이지 또 무슨 미련이 남아 환생했느냐! 우리 짐승을 핍박하는 명만 질긴 사악한 숙적아!〉

그것도 모자라 개소름, 개이득, 개간지, 개폭망이 불쑥 나타나 팻말의 글귀에 동의하듯 시끄럽게 짖어 대는데.

"앙앙, 앙!"

"앙, 앙!"

"앙앙! 앙앙!"

눈깔을 부라린 관궁이 즉각 노성을 터뜨렸다.

"크아악! 이 미친 개, 곰 새끼들! 어디 감히 내 무덤을 함부로 파고 자빠졌어? 어! 쌍, 이참에 모조리 구워 처먹어 버릴 테다!"

창졸간 개새와 흥청, 망청이 뒤도 보지 않고 부리나케 도망치자 관궁이 살기를 토하며 땅을 박찼다.

"게 서!"

파파파파파파—!

신쾌한 경공술로 개새 등을 쫓아 사라져 버리는 그.

"쯧, 하여간 성가신 것들."

눈살을 찌푸리며 중얼거린 검무영이 이윽고 손짓을 보내 각계 고수진을 비롯한 무인들 전원을 한데 불러 모았다.

공야휘, 광뢰, 적우신, 당효악 등 수많은 이들이 주목한 가운데 검무영은 이내 천무외와 벌인 일전과 관련한 이야기를 들려준 다음 진중한 얼굴로 당부의 말을 남겼다.

"향후 용신부와 같은 무리가 다시 나타나지 않으리란 보장은 없소. 그리고 날 능가하는 힘을 가진 악적이 존재하지 않으리란 보장도 없고…… 하지만 어떤 강대한 적이 발호하더라도 이번처럼 진영을 초월하여 서로 합심해 맞선다면 능히 무찌를 수 있을 것이오. 여하간 이 일을 계기로 강호 무림의 반목과 대립이 잦아든다면 더 바랄 게 없을 거요. 오늘 세상을 떠난 무인들 모두 저 하늘 너머에 있을 평안한 곳으로 향했을 것이라 믿으며, 다들 그 희생이 헛되지 않도록 성심성의껏 노력해 주기를……."

중인은 무언의 눈빛으로 대답을 대신하곤 이 땅의 평화를 지키기 위해 싸우다 죽은 자들의 넋을 기리고자 저마다 눈을 감고 묵념을 올렸다.

잠시 후.

엄숙한 분위기 아래 검무영이 의미심장한 눈빛을 띠며 무심한 목소리를 툭 내뱉었다.

"자, 그럼 이 현장을 수습하기에 앞서…… 마지막으로 한 가지 남은 일을 처리해 보도록 할까."

불현듯 청풍검문의 기존 문도들, 그리고 강제로 입문을

당한 무인들 모두 불길한 예감에 휩싸였다. 그도 그럴 것이, 검무영이 예의 말과 함께 허리에 걸린 묵필을 조용히 뽑아 들었기 때문이다.

아니나 다를까.

검무영이 이내 양욱의 면상에 시선을 고정한 채 넌지시 묻는다.

"그때 내게 뭐라 지껄였더라? 건방진 자식?"

양욱은 순간 가슴이 덜컥 내려앉으며 예전에 자신이 내뱉었던 말을 머릿속에 떠올렸다.

　　—이, 이 건방진 자식! 그…… 그동안 매타작도
　　모자라 몸통에 칼까지 쑤셔 박고, 사지도 막 잘랐다
　　가 붙이고…… 당하는 사람은 얼마나 괴로운지 알기
　　나 해! 진짜 치가 떨린다고!

덩달아 주변의 문도들 또한 낯빛이 백지장처럼 새하얗게 질리는데.

양욱이 질겁한 얼굴로 슬금슬금 뒷걸음질 쳤다.

"교, 교, 교두님! 다, 당시 분명히 그 시간만큼은 상욕을 퍼부어도 개의치 않겠다고 말씀……."

"그랬지. 근데 안 때리겠다는 말을 없었잖아? 내가 지금

기운이 달리는 상태라도 너희를 두들겨 팰 정도의 힘은 충
분해."

동시에 간극을 좁힌 검무영이 붓대를 마구 휘둘렀다.

퍼버버버버벅—!

"꾸에엑!"

양욱이 돼지 멱따는 소리를 내며 혼절하자 그때부터 핏
빛으로 물든 땅에 매타작을 가하는 둔탁한 음향과 괴로운
비명이 연이어 울려 퍼졌다.

조용히 서 있던 하연설이 피식 웃었다.

"훗, 저 소리도 자꾸 들으니 이제는 정겹네."

                    *   *   *

용신부가 멸망한 뒤로 어느덧 해가 바뀌어 사천의 광활
한 대지는 따사로운 봄날의 햇살을 맞이하며 알록달록 아
름다운 풍광을 그려 냈다.

정오가 임박한 무렵.

청풍검문 정문 앞엔 문지기 홍청과 망청이 커다란 엉덩
이를 붙이고 앉아 찜통에 든 만두를 꺼내 먹었고, 그 너머
경내의 연무장엔 여러 가지 수련을 행하는 각급 제자들로
북적거렸으며 운몽향아가 요리를 마련 중인 식당에선 김이

모락모락 피어오르며 군침 도는 향을 풍겼다.

　지난 몇 달 동안, 남을 사람은 남고 떠날 사람은 떠났다.

　신수야장 당능통, 천독태왕 철랄핑, 빙백무종 북리상, 빙염시, 철화검성 공야휘, 천패검붕 군율은 이제 이곳에 없었고 천마제 굉뢰와 혈마대제 적우신을 비롯한 천마신교, 혈교의 마인들 역시 일찌감치 서역으로 귀환했다. 또한 청풍표국의 승천무장 역류흔도 혈전이 끝나고 두어 달을 더 머물다가 사문인 대천승검장으로 돌아갔다.

　그렇듯 청풍검문은 새로운 변화와 더불어 새로운 시작을 준비하고 있었다.

　사락, 사라락—

　여전히 전권을 쥔 교두직을 수행하고 있는 검무영은 집무실 책상에 자리해 그 앞에 놓인 여러 장의 보고서를 하나씩 읽어 넘겼다.

　<최근 대붕성의 신임 성주 자리에 오른 군율과 북해빙궁의 빙염시가 백년가약을 맺게 되리란 소식이 들립니다. 정확한 날짜는 조만간 공표될 것으로 예상합니다. 덧보태 대붕성과 북해빙궁 사이에 동맹 서약 체결이 임박했다는 정보도 입수했습니다.>

<철무련과 소림사는 올해부터 정파, 사파의 화합을 위한 자리를 마련하고자 대규모 연회를 개최하기로 합의했습니다. 얼마 지나지 않아 청풍검문 앞으로 협력을 요청하는 공문이 올 것입니다. 그리고 련주 철화검성 공야휘는 향후 십 년 동안 이번 혈전으로 피해를 입은 무문들 상대로 전폭적인 지원을 약속했습니다. 그에 소림사, 무당파, 남궁세가, 성하상무궁 등 정파 내 굴지의 여러 문파가 동참의 뜻을 밝혔습니다. 나아가 대붕성, 흑운무궁, 천환신문 등 사파 쪽도 그 뜻을 따르는 움직임을 보일 듯합니다.>

<임시적으로 통합한 천마신교와 혈교가 본격적으로 수복 작업을 시작했습니다. 그리고 적혈검마 승조운을 앞세운 두 교의 정예 전력은 아주 빠른 속도로 서역의 패권을 재편해 나가고 있습니다. 당장은 큰 문제가 없을 것이나 일련의 행보가 심상치 않으니 은밀히 인원을 풀어 꾸준한 감시 활동이 필요할 것으로 사료됩니다.>

"하암……."

검무영은 하품을 내뱉더니 이내 보고서로부터 시선을 거두었다.

바로 그때.

벌컥—!

문이 세차게 열리더니 관궁이 불쑥 발을 들였다.

"어이, 검씨! 도대체 언제까지 기다려야 되는 거냐! 지겨워 죽겠다고!"

"뭐가?"

검무영의 퉁명스러운 대꾸에 관궁이 인상을 팍 구겼다.

"쌍, 일상이 너무 무료하잖아! 어서 새로운 적을 물색해 보라고!"

"무료하기는 뭐가 무료해. 만날 개새랑 옥신각신하느라 바쁘면서. 시끄럽고, 가서 문도들 집합이나 시켜. 밥 먹을 시간이니까."

"크윽…… 망할 놈의 청풍검문 생활, 참 지긋지긋하구먼!"

"싫으면 그냥 떠나, 안 붙잡아."

호홀지간 관궁의 신형이 움찔한다.

"그러자니 도, 돈이……."

"쯧, 만날 내부 시설을 마구 깨 먹으니 돈을 못 모으지. 나이를 그토록 많이 처먹어도 철이 안 드니 개새가 무시하는 거야."

발끈한 관궁은 뭐라 상욕을 내뱉으려다가 가까스로 참곤 애꿎은 개새를 찾으며 투덜거렸다.

"이런, 쌍! 미친 개놈의 새끼는 아침부터 안 보이던데,

도대체 어디를 싸돌아다니고 있는 거야!"

* * *

성도 중앙의 저잣거리.

모처럼 바람을 쐬러 나온 개새는 꼬리를 살래살래 흔들며 인파가 북적대는 길을 나아가다가 어느 한적한 골목 앞에 이르러 우뚝 멈춰 섰다.

그 직후에.

"호오."

건물 벽면에 등을 기대고 있던 청수한 풍모의 칠십 대 노인이 그런 개새를 바라보며 나지막한 소리를 내뱉더니 다시 말을 이었다.

"과연 내 짐작이 맞았구나. 설마 노부의 얼굴을 기억하지 못하는 건 아니겠지?"

무슨 이유일까.

개새의 두 눈 위로 어떤 두려움의 빛이 스쳐 지나간다.

"멍, 멍."

개새가 시치미를 떼듯 도리질을 치며 짧게 짖자 정체 모를 노인이 사악한 느낌이 가득한 비소를 머금으며 저벅저벅 걸음을 뗐다.

"공백이 너무나도 길었다. 자, 괜한 방황은 그만하고 노부를 따라 가자꾸나. 네가 알고 있는 비밀이 혹 세간에 새어 나가기라도 한다면 윗분께서 무척이나 곤란해 하실 테니까 말이다. 물론 그분의 위엄이 두려워 여태까지 아무한테도 발설하지 않았겠지만…… 후훗."

별안간 개새가 몸을 흠칫 떨더니 꼬리를 세차게 돌려 빠르게 비상했다.

휘이익―

동시에 노인이 우수를 쭉 뻗어 허공섭물의 기운을 발했다. 하지만 개새는 간발의 차로 예의 기운을 피했고 이내 하늘 저편으로 까만 점이 되어 사라졌다.

"끌……."

가볍게 혀를 찬 노인은 이내 눈동자를 번뜩이며 읊조리듯 중얼거렸다.

"어차피 네가 향하는 곳은 청풍검문일 터."

그런 노인의 신형이 돌연 뿌연 연기에 휩싸이더니 곧 미약한 풍성을 남긴 채 자취를 감췄다.

＊　　＊　　＊

점심 식사를 끝낸 각급 제자들 모두 잠깐의 휴식을 취한 후 연무장에 모여 섰을 때.

피이이이이이이이잉—

날카로운 음향과 동시에 허공을 격한 개새가 바닥으로 빠르게 떨어져 내렸다.

"멍, 멍멍! 멍멍!"

뭔가 다급한 느낌의 소리인데.

하연설, 단선후, 마봉 등이 안절부절못하는 개새의 태도를 보고 의문을 품은 순간 검무영, 관궁, 운몽향아가 때마침 지척에 모습을 드러냈다. 그러자 개새가 신속히 그들 앞으로 가 초조한 눈빛으로 짖어 댔다.

"멍멍, 멍, 멍멍!"

듣고 있던 관궁의 안색이 기이하게 변하고.

"뭐, 뭐라고?"

"멍, 멍! 멍멍, 멍, 멍멍!"

"이 미친 개새끼…… 말이 되는 소리를 해! 그런 게 현세에 존재할 리가 없잖아!"

"멍, 멍멍, 멍! 멍, 멍멍!"

"큭, 닥쳐! 뻥도 좀 정도껏 치라니까, 망할 식충이 놈아!"

그때 검무영이 부드러운 손짓을 보내며 나지막이 일렀다.

"진정하고 혜광심어로 차분하게 설명해 봐."

개새는 잠시 숨을 고르나 싶더니 혜광심어를 운용해 마

음속 이야기를 검무영한테 전했다.

잠시 후.

검무영이 두 눈을 지그시 감았다가 뜨더니 관궁, 운몽향아를 향해 내밀한 전음을 보냈다. 그에 두 사람이 묘한 표정을 짓더니 눈빛이 급속도로 굳었다.

직후 철문 너머로부터.

휙, 휘휙, 휙……!

일련의 풍성이 들리더니 웬 사람들 기척이 감지되었다.

무심한 얼굴의 검무영이 갑자기 묵필을 꺼내 쥐더니 걸음을 옮기며 짤막한 목소리를 던졌다.

"귀찮게끔."

곧장 뒤를 따른 하연설 등 일동은 궁금해 미칠 지경이었다.

아니, 뭔데? 도대체 무슨 일인데?

*　　　*　　　*

청풍검문의 정문과 대략 이 장의 거리를 두고 자리한 칠십 대의 청수한 노인. 아까 개새와 조우했던 그 인물이었다.

"훗. 청안신웅묘가 두 마리나…… 뜻밖의 수확이구나. 이참에 너희도 데리고 가면 그분께서 아주 흡족한 표정을 지으시겠군."

낮게 중얼거리는 노인의 좌우엔 백색의 가면을 쓴 피풍인 이십여 명이 저마다 기이한 기도를 내뿜으며 도열해 있다.

"흐엉!"

"꾸어엉!"

사나운 소리를 지른 흥청, 망청이 각기 팻말을 번쩍 들었다.

〈감히 만두 찜통을 빼앗으러 왔느냐! 그렇다면 절대 용서할 수 없지!〉

〈어허, 당장 면상을 드러내 보여라! 못생긴 순서대로 죽창을 찔러 넣어 주마!〉

노인이 그것을 보며 헛웃음을 지은 찰나.

철커덩, 끼이이이이이이이······.

묵직한 철문이 좌우로 열리며 그 사이로 검무영을 필두로 한 청풍검문 일동이 차례로 걸어 나왔다.

이내 노인이 말하기를.

"아직 중원 무림에 대한 여러 가지 정보를 입수 중에 있다만······ 보아하니 선두의 네가 이곳의 교두인 검무영이 분명하군."

문도들 모두 청수한 노인의 음성을 듣자마자 소름이 오싹 끼쳤다. 그 음성 속에 왠지 모를 불쾌한 기운이 섞여 있는 것처럼 가슴 한쪽을 쿡 찔러 들었기 때문이다.

　이윽고 신형을 멈춰 세운 검무영이 표정의 변화 없이 입을 열었다.

　"개새는 엄연히 본 문 소속인데 어디 함부로 데려 가려고 난리야."

　"일신의 무위에 대한 높은 자부심이 엿보이나 내 앞에선 무용지물……."

　노인은 말을 미처 다 끝내지 못했다.

　츄하악, 츄학, 츄하아악, 츄학—!

　검무영이 부지불식간에 묵필을 휘둘러 좌우에 선 백색 가면의 피풍인 이십여 명의 허리를 모조리 양단해 버린 것이다.

　피비린내가 바람을 타고 번지자 노인은 충격과 공포에 휩싸여 그만 말문을 잃었다.

　안력을 무시하는 쾌속의 참격.

　'허! 세상에, 이 무슨……!'

　이처럼 가공스러운 검세는 아직까지 경험해 본 적이 없는 듯했다.

　검무영이 묵필을 어깨에 척 걸치더니.

"개새를 통해 들으니…… 너희는 신의 흉내를 내는 무리라며?"

하나 노인은 여전히 입을 닫은 채였다.

방금 전 검무영이 보인 신위 앞에 이미 몸과 마음 전부 제압당한 것이다.

다시 검무영이 말하기를.

"잔대가리 굴리지 말고 어서 가서 네 위의 놈한테 전해. 개새를 데려갈 수 없는 게 불만스러우면 한꺼번에 와서 덤비라고."

동시에 그가 좌수를 놀리자 육중한 기풍이 발출되었고 펑! 하는 파공음이 터지며 노인의 신형이 포탄에 맞은 것처럼 허공 저 멀리로 튕겨 날아가 사라졌다.

직후 개새가 해죽 웃는 듯한 표정으로 전원의 머릿속에 혜광심어를 울렸다.

『잘 가, 늙은 병신아!』

관궁, 운몽향아를 제외하고 다들 영문을 몰라 멍한 표정을 짓는 가운데 하연설이 퍼뜩 정신을 가다듬으며 물었다.

"교두님, 저 노인은 정체가 뭐죠? 어, 어떻게 된 사연이에요?"

고개를 뒤돌린 검무영이 대수롭지 않은 투로 대답했다.

"개새의 고향에 있는 놈들."

질세라 마봉이 호기심 가득한 얼굴로 질문을 던지고.

"그, 그러니까 조교님 고향이 어디입니까?"

인상을 찌푸린 검무영이 성가시다는 표정으로 손을 내저었다.

"질문 금지."

일동은 어이가 없다는 눈빛을 띠며 속으로 불만을 터뜨렸다.

제발 우리도 같이 좀 알자고! 만날 뭐가 그리도 비밀스러워!

하나 검무영은 그런 일동의 마음을 싹 무시하며 명령처럼 말했다.

"하여간 머지않아 새로운 적이 들이닥칠 것 같으니 오늘 오후부터 전원 혹독한 특별 수업을 실시한다."

별안간 그의 입매가 호선을 그렸다.

그것을 본 문도들 모두 울상이 된 채로 커다란 불길함을 느끼며 속으로 외쳤다.

저 웃음, 아주 기분 나빠! 저건 분명히 우리를 괴롭히려 할 때 드러나는 미소야! 설마 이번엔 사지가 잘려 나가는 이상의 끔찍한 고통을 주려는 건가?

반면 관궁은 흥미가 동한 기색으로 두 주먹을 꽉 움켰다.

"크큭, 이거 정말 기대가 되는군."

곁의 운몽향아도 까르륵 웃더니 그에 동의했다.

"네, 자못 재미있을 것 같네요. 이참에 저도 삼시 세끼 특별한 음식을 마련해 볼게요."

그때 검무영이 이제껏 보인 적 없는 미소를 지으며 하연설을 바라보았다.

"너는 열외야."

뜻밖의 소리에 하연설이 눈을 동그랗게 만들자 검무영이 곧 앞으로 바짝 붙어 서더니 입술을 맞췄다.

이어서 귀에 대고 속삭이기를.

"넌 이미 내 아이를 가졌으니까."

일순 하연설이 놀란 얼굴로 물었다.

"저, 정말요?"

"할멈이 오늘 아침에 널 진맥해 보니 확실하다더군."

검무영의 그 말에 하연설은 기쁨의 눈물을 글썽이더니 품에 와락! 안겨 들었다.

"당신의 아이…… 예전부터 정말 원했어요."

그러자 검무영이 두 손으로 그녀의 가느다란 허리를 꽉 휘감았다.

"부디 날 닮지 않았으면 좋겠는데 말이지."

이내 하늘로 고개를 들자 따사로운 햇살이 시야를 가득 채워 온다.

몸도, 마음도 모두 따뜻하게 만드는 봄기운.

검무영은 곧 팔을 풀고 정문 쪽으로 저벅저벅 걸으며 짧게 말했다.

"그럼 시작해 볼까."

<완결>

화산전생

"이번에는 다를 거다.
너희 뜻대로는 되지 않아."

새로운 운명, 그리고 다시 움직이는 피의 수레바퀴.
지금 여기서 회귀 영웅의 전설이 펼쳐진다!

정준 작가의 신무협 장편소설
『화산전생』

dream
books
드림북스

『제왕록』, 『무림에 가다』 시리즈의 작가 박정수
그가 거침없는 현대 판타지로 돌아왔다!

『신화의 전장』

주먹을 믿지 마라.
우리가 살아가는 이 땅에 인간을 벗어난 자들이 존재한다.

dream
books
드림북스